De la même auteure

Duras, l'impossible, récit, Éditions Varia, 2006 / Éditions Québec Amérique, 2014.

Promets-moi que tu reviendras vivant. Ces reporters qui vont à la guerre, récit, Éditions Libre Expression, 2010.

Lettres à Marguerite Duras, ouvrage collectif sous la direction de l'auteure, Éditions Varia, 2006.

Raymonde April sur un fil, portrait, Éditions Varia, 2006.

COLLABORATIONS

Bonjour voisine, Collectif Haïti – Québec sous la direction de Marie Hélène Poitras, Éditions Mémoire d'encrier, 2013.

L'Emporte-pièces, tomes 3, 4, 5, 6, Éditions Théâtre du Nouveau Monde, 2011-2014.

Zone de libre échange, Les éditions des Correspondances d'Eastman, 2005.

Le Roman de
Renée Martel

par Danielle Laurin

Projet dirigé par Pierre Cayouette et Marie-Noëlle Gagnon

Conception graphique : Sara Tétreault
Mise en pages : André Vallée – Atelier typo Jane
Révision linguistique : Sylvie Martin et Sophie Sainte-Marie
Photographie en couverture : Laurence Labat Photographe

Québec Amérique
329, rue de la Commune Ouest, 3e étage
Montréal (Québec) Canada H2Y 2E1
Téléphone : 514 499-3000, télécopieur : 514 499-3010

Nous reconnaissons l'aide financière du gouvernement du Canada par l'entremise du Fonds du livre du Canada pour nos activités d'édition.

Nous remercions le Conseil des arts du Canada de son soutien. L'an dernier, le Conseil a investi 157 millions de dollars pour mettre de l'art dans la vie des Canadiennes et des Canadiens de tout le pays.

Nous tenons également à remercier la SODEC pour son appui financier. Gouvernement du Québec – Programme de crédit d'impôt pour l'édition de livres – Gestion SODEC.

 Conseil des Arts du Canada Canada Council for the Arts SODEC Québec

Catalogage avant publication de Bibliothèque et Archives nationales du Québec et Bibliothèque et Archives Canada

Laurin, Danielle
Le roman de Renée Martel
(Biographie)
ISBN 978-2-7644-1303-6 (Version imprimée)
ISBN 978-2-7644-2822-1 (PDF)
ISBN 978-2-7644-2823-8 (ePub)
1. Martel, Renée. 2. Chanteurs - Québec (Province) - Biographies.
I. Titre. II. Collection : Biographie (Éditions Québec Amérique).
ML420.M3335L38 2014   782.42164092   C2014-941618-0

Dépôt légal : 4e trimestre 2014
Bibliothèque nationale du Québec
Bibliothèque nationale du Canada

Imprimé au Québec

Le Roman de
Renée Martel
par Danielle Laurin

QuébecAmérique

À mes parents, Lise et Marc,
en souvenir du Canot Western du Bar de l'Ô à Charlemagne.

Prologue

Je crois bien que si je n'avais pas aperçu Renée Martel craquer en direct à la télé, lors du gala de l'ADISQ de l'automne 2009, si je ne l'avais pas vue fondre en larmes avec, dans ses mains qui tremblaient, le Félix du meilleur spectacle de l'année, si je n'avais pas craint que le souffle lui manque et qu'elle s'effondre tout à coup lors de l'ovation debout lancée par Jean Leloup, ce livre n'existerait tout simplement pas.

Je ne suivais pas la carrière de Renée Martel de près. À vrai dire, j'ignorais qu'elle se produisait encore en spectacle. À peine si j'avais eu vent du calvaire par lequel elle venait de passer, contrairement à ses fans aux aguets, aux friands de potins inondés semaine après semaine par les magazines et journaux de vedettes. Je ne savais à peu près rien du suicide de son amoureux l'année précédente, ni du fait qu'elle avait voulu mourir dans la foulée. J'avais vaguement le souvenir qu'elle avait déjà eu des problèmes d'alcool. Étais-je au courant qu'elle avait un demi-poumon en moins ?

J'en étais restée, en gros, à la Renée Martel yé-yé de *Jeunesse d'aujourd'hui*, que je regardais en famille à Télé-Métropole le samedi soir en pyjama après le bain. Ma sœur aînée connaissait toutes ses chansons par cœur, elle les répétait en minijupe et bottes à gogo devant le miroir, avec sa brosse à cheveux comme micro. Ma sœur aînée était mon idole, mon modèle, nécessairement. Et Renée Martel resterait, pour moi, une icône intouchable, appartenant à mon enfance.

Comme tout le monde au Québec, j'avais par la suite entendu à la radio ses tubes *Un amour qui ne veut pas mourir*, *Cowgirl dorée*. Et j'avais, sans pourtant me l'avouer, un faible pour les racines country de Renée Martel, dû à mon propre parcours.

Mes parents tenaient un bar, en bordure du chenal à Charlemagne, appelé le Canot Western du Bar de l'Ô. S'y produisaient à tour de rôle, les fins de semaine, Bobby Hachey, Marie King, Marie Lord, Patrick Norman, Réjean et Chantal Massé, André Hébert, Paul Daraîche, Roger Miron et autres petites et grandes vedettes du monde western.

C'était la plupart du temps plein à craquer dans la grande salle enfumée décorée de vieilleries rappelant les saloons d'autrefois. Ça fourmillait de chapeaux de cowboy autour des nappes rouge et blanc à carreaux. Ça trinquait, ça chantait, tapait des mains, du pied, toutes générations confondues.

La scène de spectacle, qui servait aussi de piste de danse le moment venu, était surmontée, à l'arrière, de vieilles planches de grange entortillées de fil de fer : on aurait dit, plus ou moins, un enclos à chevaux en modèle réduit. Dans les faits s'y abritait l'orchestre maison. Les vedettes, elles, présentées par mon père, maître de cérémonie, arrivaient par le côté de la scène sous une pluie de lumières scintillantes.

C'est là que j'ai vu apparaître, un soir, je m'en souviendrai toujours, le grand Marcel Martel, très chic, très digne. Public en délire. Les femmes plus âgées, en particulier, couinaient de plaisir devant ce bellâtre vieillissant qui avait nourri leurs fantasmes de jeunes filles.

Je n'en revenais pas, du haut de mes jeunes années. Sur le juke-box, entre deux shows, c'est sa fille qui, le plus souvent, faisait danser le public en ligne.

Pour moi, Marcel Martel appartenait déjà au passé, en quelque sorte. Un passé glorifié par la meute westerneuse : le chanteur d'*Un coin du ciel* était devenu un monument de la grand-messe country québécoise.

Je l'ai longtemps renié, mais le western, je l'avais et je l'ai toujours dans le sang. Grâce à lui, j'ai pu payer mes études. Et à cause de lui, quand les chansons les plus pathétiquement romantiques qui faisaient les beaux jours du Canot Western du Bar de l'Ô jouent à la radio, je chante à l'unisson, je vibre. C'est plus fort que moi.

Mais ce soir-là, lors du gala de l'ADISQ, devant Renée Martel en larmes à la télé, je n'ai pensé à rien de tout cela. C'est Renée Martel la femme qui m'a touchée. Par sa vulnérabilité. Par son authenticité. Et par cette force souterraine qui la faisait se tenir debout, même si on la sentait à bout, par cet élan, venu on ne sait d'où, qui faisait que la star était encore là, après tout ce temps.

Je n'étais pas la seule à réagir ainsi, loin de là. En craquant en direct à la télé radio-canadienne ce soir-là, combien de personnes Renée Martel a-t-elle fait craquer ? Même les non-fans avoués, même ceux qui ont toujours levé le nez sur le western ne sont pas restés indifférents. Comment auraient-ils pu ?

D'où venait donc ce capital de sympathie immense ? C'est l'une des questions qui ont provoqué mon désir d'écrire un livre sur Renée Martel. Je me suis demandé aussi jusqu'à quel point sa sensibilité exacerbée faisait de Renée Martel l'artiste qu'elle était. Jusqu'à quel point l'artiste qu'elle était puisait à même cette sensibilité. La femme et la star, des vases communicants ou pas ?

Un portrait. Un portrait de Renée Martel, la femme, la star, aujourd'hui. En action, en mouvement. Avec ses contradictions, ses angoisses, ses manques, ses défis, ses réussites, ses hauts et ses bas. Avec des allers-retours dans le passé, pour mesurer le chemin parcouru, mieux saisir d'où elle vient, éclairer le tout. Un portrait de Renée Martel qui donne accès à ce qui, malgré le battage médiatique voyeuriste qui l'entoure depuis ses débuts, est demeuré dans l'ombre, inexpliqué, secret. Un portrait d'elle comme si j'étais tapie dans les coulisses de sa vie. C'est ce que je souhaitais.

Ma première rencontre avec Renée Martel a eu lieu au printemps 2010, chez Pépé, un restaurant de Saint-Hyacinthe qui, selon l'adjoint de son agent de l'époque, était le préféré de la chanteuse dans cette ville où elle avait élu domicile depuis un peu plus d'un an. Je ne mesurais pas à ce moment-là l'inquiétude qui pointait dans le regard de l'adjoint en question, responsable d'organiser ce rendez-vous à l'heure du lunch. Renée allait-elle sur un coup de tête renoncer à cette rencontre, la reporter ? Allait-elle se présenter à jeun ?

De mon côté, je le sentais bien, je passais un test. Il fallait que le contact soit bon, que le courant passe. Que je la mette en confiance.

Elle est arrivée avec quelques minutes de retard, à peine. Elle portait des souliers à talons, elle était élégante, vêtue dans les tons pastel, minutieusement maquillée. Elle était belle, tellement belle. Elle avait ce port altier qui me rappelait son père. Et ce franc-parler, ce tutoiement facile, cette spontanéité chaleureuse, propres aux westerneux que j'avais côtoyés au bar de mes parents. Elle avait ce sourire magnifique, angélique, le même qu'à ses vingt ans quand je la regardais, enfant, à la télé dans le salon familial.

Par-dessus tout, il y avait ses yeux, qui me fixaient, me scrutaient, que je voyais pour la première fois en vrai. D'un bleu indéfinissable, profonds, magnétiques, ils me troublaient.

J'étais impressionnée. Pour ne pas dire subjuguée. Par la star, par son aura.

Je verrais ensuite Renée Martel dans toutes sortes de situations, à différents moments, pendant quatre ans. En robe de chambre, le matin, à peine sortie du lit. En jogging et vieux t-shirt, pieds nus, l'après-midi dans son salon. En grand manteau blanc et longues bottes rouges, un jour de novembre, alors qu'elle se rendrait à une répétition pour le spectacle des cent ans du journal *Le Devoir*. En costume de scène, à plusieurs endroits au Québec. Et en jaquette d'hôpital…

Je la verrais la plupart du temps sans maquillage aucun, sauf en représentation, en spectacle. Mais toujours, ces yeux. Merveilleusement troublants. Et cette beauté transcendante.

« Je ne suis pas une victime. » Je crois bien que c'est la première chose qu'elle m'a dite, une fois les présentations faites. Elle a répété la même chose plusieurs fois ensuite, comme une idée fixe. Je ne voyais pas pourquoi. J'avais plutôt l'impression d'avoir devant moi l'incarnation même du phénix.

Cette image de l'oiseau de feu légendaire, capable de renaître de ses cendres, ne me quitterait plus. Elle m'habite encore.

Je crois bien qu'elle m'habitera toujours.

Gaspésie

~

Elle cherche, dans le miroir. Elle cherche la chanteuse. La star. La cowgirl dorée. Celle qui doit monter sur scène dans moins de quinze minutes. Celle qui doit tenir le coup.

On entend des portières d'auto qui claquent. Des pas qui résonnent, sur le gravier. Le murmure de la foule, qui commence à affluer, dans la tente géante à côté. Et le vent. Le vent frémissant, derrière le mince rideau qui la sépare, elle, du reste du monde.

On dirait qu'elle n'entend rien. Rien d'autre que sa respiration à elle, saccadée, dans sa loge improvisée, sous la bâche, à Gaspé. On dirait qu'elle va se mettre à crier, à hurler de tout son être.

On pourrait croire que le sol s'est mis à trembler. Mais ce sont ses mains, ses mains à elle, qui tremblent. C'est son corps tout entier qui tangue, tandis qu'elle s'agrippe à la table devant elle.

Son assortiment de maquillage gît, épars, parmi les canettes vides de boisson énergisante. Comme une deuxième peau. Sa longue robe blanche l'attend dans l'enveloppe de plastique transparent. Comme une prière, un appel. Une promesse.

Elle se cherche, de l'autre côté d'elle-même. De l'autre côté du miroir. Elle cherche la force de continuer. Elle cherche la force, quelque part en elle. Où la trouver? Comment parvenir à se contenir, à se rassembler, à s'élancer?

Dans le miroir, elle scrute son visage, son image. Comme si ça ne lui appartenait pas. Cette beauté. Ces yeux. Ces yeux-là, qui tournent au violet, aux aguets.

Une larme fuit. Vite, vite, elle l'essuie. Elle se raidit, se fige. Se fouette à l'intérieur. Endiguer le flot, tout de suite, le bloquer. Pas le droit de craquer.

Pas le droit de craquer aujourd'hui, ce 17 juillet 2010. Pas maintenant.

Et glisse et tape, et glisse et tape…

C'est un soir d'été de 1952, un samedi. Ses parents sont en spectacle au Ranch de la Gaieté, le bar avec salle de danse dont ils sont les propriétaires, à Drummondville, sa ville natale.

Et glisse et tape, et glisse et tape…

Ce soir, c'est le grand soir : elle a droit à son propre numéro. Sa petite robe courte confectionnée par Maman est fraîchement repassée, ses petits souliers à claquettes en cuir vernis reluisent de propreté.

Et glisse et tape, et glisse et tape…

La nuit dernière, elle a dormi avec des bouts de guenille entortillés dans les cheveux pour avoir de beaux boudins. Au cours de l'après-midi, alors qu'elle aurait préféré aller jouer dehors, elle a répété encore et encore sa chorégraphie sur le prélart de la cuisine, sous la supervision de Maman. Comme elle le fait chaque jour depuis qu'elle a commencé ses cours particuliers de danse à claquettes, il y a six mois.

Est-ce qu'elle aime danser avec ses petits souliers à claquettes en cuir vernis ? *Sais pas. Peut-être. Sans doute, oui.* En réalité, elle ne se pose pas la question. Elle le fait, c'est tout. C'est comme ça. C'est comme se brosser les dents, comme faire sa prière avant d'aller au lit. C'est sa routine de vie.

Surtout, que Maman soit contente. Et que Papa m'aime.

Elle en a fait, du progrès, en six mois. Elle apprend vite, elle fait ce qu'on lui dit. Renée est une enfant docile. Même s'il lui arrive de se montrer aventureuse.

L'autre jour, à l'heure de la sieste dans le lit des parents, elle s'est levée sur le bout des pieds et elle a fouillé en cachette dans les affaires de Maman. Elle est ressortie de la chambre toute maquillée, parfumée, avec du vernis rouge sur les ongles. Comme Maman.

Maman n'était pas contente, ce jour-là. Pas du tout. Elle faisait les gros yeux. Même si elle avait envie de rire un peu, ça se sentait. Papa, lui? *Sais pas.* A-t-il seulement remarqué qu'elle s'était faite belle juste pour lui?

Et glisse et tape, et glisse et tape…

Ça va vite en diable. Ses beaux boudins rebondissent, sa petite robe courte virevolte. Elle se démène pour suivre le rythme avec ses petits souliers à claquettes en cuir vernis. Surtout, ne pas se tromper. Surtout pas ce soir.

Surtout, que Maman soit contente. Et que Papa m'aime.

Ne pas regarder ses pieds. Relever la tête, regarder loin, loin, devant. Tendre les bras. Et sourire, sourire. C'est ce que Maman a dit. Qu'est-ce qu'elle a dit d'autre, déjà? *Sais plus.* Difficile de tout faire en même temps.

Applaudissements. C'est fini. *Déjà?*

Ça lui revient, tout à coup. Elle fait comme Maman a dit ensuite, elle tient le bas de sa petite robe courte et salue de la tête en pliant gracieusement les genoux de côté, jambes bien collées.

Tu as vu ça, Papa ?

C'est sa première apparition sur scène, elle vient d'avoir cinq ans.

Depuis le berceau, elle a toujours entendu son père chanter. Quand il répète ses chansons avec sa guitare, à la maison, elle se précipite pour aller chanter avec lui.

À deux ans et demi, elle fait jouer toute seule les disques de Marcel Martel sur le tourne-disque portatif. Son père est à l'hôpital depuis plus d'un an. Au sanatorium, en fait, saura-t-elle plus tard. Problèmes de poumons qui s'avéreront récurrents, chroniques.

Interdit pour elle de se rendre à son chevet. Trop petite. Trop dangereux : risques de contamination. Seule Maman est autorisée à y aller, lui dit-on.

Il va revenir quand, Papa ?

Sur le vinyle, elle reconnaît sa voix, tout de suite. Pas moyen de la tromper. Si on lui présente le disque de quelqu'un d'autre à la place, elle se met à pleurer. Pas question de lui faire écouter autre chose que les chansons de son papa adoré.

Elle chante avec lui, comme s'il était là en vrai. En se berçant à côté du tourne-disque. Pendant des heures.

Un jour de 1950, peu après son séjour prolongé au sanatorium, qui sera suivi par d'autres, entrecoupés d'interventions d'urgence à l'hôpital, il compose une chanson toute spéciale :

Pour toi Renée. Il pose un magnétophone sur la table de la cuisine, il assoit Renée, trois ans, sur ses genoux, et il enregistre la chanson devant elle. Juste pour elle.

Des années plus tard, il gravera officiellement sur disque cette chanson. Puis, en 1974, *Pour toi Renée* donnera son nom à un album souvenir de Marcel Martel.

Après sa mort, en 1999, *Pour toi Renée* figurera sur l'album *À mon père*, qui sera certifié disque d'or. Album hommage de la fille à son père, comme un juste retour des choses. Quinze ans plus tard, la chanson sera aussi reprise, avec la voix de Marcel Martel, sur un nouveau disque que sa fille lui consacrera, *La fille de son père*.

À mon père et *La fille de son père* contiendront de plus la chanson la plus connue de Marcel Martel : *Un coin du ciel*. La première chanson interprétée en public par Renée, en duo avec son père.

C'est peu après son premier séjour prolongé au sanatorium que Marcel Martel compose *Un coin du ciel*. Quand sa fille la chante pour la première fois avec lui dans une salle de spectacle officielle, le Théâtre Royal, à Drummondville, il ne l'a pas encore enregistrée. Il est loin de se douter que, parmi les quelque huit cents chansons qu'il aura composées dans sa vie, *Un coin du ciel* deviendra l'un de ses plus grands succès.

Il trouve que la petite a du rythme. Et une belle voix. Il l'a dit à sa femme, Noëlla. En plus des cours de claquettes, Renée a droit à une professeure de chant privée depuis six mois.

Ça y est, elle est prête pour le grand saut. Elle vient d'avoir cinq ans. Elle attend dans les coulisses du Théâtre Royal, Maman lui tient la main. Papa a placé une chaise près de lui sur la scène, il l'appelle. C'est comme un jeu.

Coiffée d'un mignon chapeau à pompons et vêtue d'une nouvelle robe courte, toujours confectionnée par Maman, elle grimpe debout sur la chaise. C'est tout noir dans la salle. Elle est aveuglée par les spots, elle n'a pas vraiment conscience qu'il y a un public.

« Comment tu t'appelles ? » lui demande son père. Elle : « Tu le sais, comment z'm'appelle, t'es mon père ! » Lui : « Oui, mais dis-le aux gens dans la salle. » Elle : « Z'm'appelle Wenée. »

Ça continue.

— Tu as quel âge ?

— Tu le sais quel âze z'ai, t'es mon père !

— Oui, mais dis-le aux gens…

Les gens rient. Elle ne comprend pas pourquoi. Elle obéit, elle dit son âge.

— Qu'est-ce que tu vas chanter avec Papa ?

— Tu le sais, ça fait assez longtemps qu'on pratique !

— Oui, mais dis-le…

Les rires redoublent. Elle obéit, elle dit le titre de la chanson. Et elle chante *Un coin du ciel* avec son papa adoré.

Facile. Elle n'a qu'à le suivre, à se laisser porter. Symbiose totale. Les paroles, elle les connaît par cœur, de toute façon : « Mon cœur t'appelle et te réclame jour et nuit/Sois-moi fidèle, je t'aimerai toujours, ma jolie. »

C'est déjà terminé ?

Dans la loge, ensuite, son père lui dit, l'air sévère : « La prochaine fois, quand je vais te demander comment tu t'appelles, nomme-toi. Moi, c'est sûr que je le sais, comment tu t'appelles ! »

C'est tout. Pas de bravo, pas de câlin. Rien.

C'est comme ça avec Papa.

Ce sera toujours comme ça avec lui.

Dans les semaines qui suivent ses débuts comme chanteuse dans une salle officielle, elle entreprend sa première grande tournée avec ses parents. Cent quatre jours sur les routes du Québec, de bar en bar, de salle paroissiale en salle paroissiale.

Les trajets sont longs, ennuyants. Les horaires sont stricts, exigeants. Elle s'en accommode. Sa mère lui achète une poupée de temps en temps, pour récompenser la petite fille sage, docile, de cinq ans.

Chacun sa place, chacun son rôle.

Marcel Martel compose les chansons, dont sa femme, plus scolarisée, corrige les paroles au besoin, derrière des portes closes. Il prépare les spectacles avec les musiciens, décide de l'ordre des chansons, des numéros de chacun.

Marcel Martel est l'âme du groupe, il est la vedette.

En principe, Noëlla Therrien est « la femme de »… La femme derrière son mari, comme il se doit, à l'époque. Mais elle n'en est pas moins la chanteuse du groupe.

Elle chantait sur scène dès l'âge de quatorze ans, c'est d'ailleurs comme ça qu'elle a connu Marcel Martel, alors simple musicien : il faisait partie du même groupe qu'elle, à Drummondville, il l'accompagnait sur scène.

Noëlla a une voix magnifique, tout le monde en convient. On l'entendra sur les disques de l'ex-bûcheron et coloré chanteur Oscar Thiffault, dont *Le rapide blanc*. Et elle en viendra à enregistrer ses propres albums : *Mon chevalier*, *Rappelle-toi…*

Noëlla deviendra aussi, peu à peu, l'organisatrice en chef des tournées en famille. Main de fer dans un gant de velours, elle gérera les finances, négociera les cachets, recueillera et distribuera leur dû aux musiciens du groupe à la fin de la soirée.

Quand son mari, à nouveau malade, retournera au sanatorium, Noëlla poursuivra les tournées. Elle le remplacera comme maître de cérémonie, assurera la direction artistique des spectacles. Question de survie. « Quand tu es dans le bateau, tu rames » : c'est sa philosophie, ça le restera toute sa vie.

Renée a vite compris que sa mère ne pouvait pas être partout en même temps. Dès cette première tournée, la petite a droit à sa gardienne attitrée, qui s'empresse, les soirs de spectacle, à l'entracte, de filer avec elle à l'hôtel à côté. Le bain, la prière, et au lit, avec ses poupées.

Au cours des prochaines années, la petite aura aussi droit, en tournée, à son enseignante privée : pas question qu'elle prenne du retard dans sa scolarité, c'est sacré.

La fille de Marcel Martel et de Noëlla Therrien s'exécute en première partie du spectacle. Elle a perfectionné son numéro de danse à claquettes et elle a développé son propre répertoire de chansons. Des chansons populaires, adaptées à son âge : *Bonbons Caramels*, *Petit Éléphant*, *Le petit cordonnier…*

Entre son numéro de danse et son tour de chant, il y a Maman, derrière le rideau, qui lui enlève ses petits souliers à claquettes en cuir vernis et la change de costume de scène. Ça devient vite une routine, ça fait partie de son quotidien. Facile.

Quand Papa l'appelle pour chanter *Un coin du ciel* avec lui, ça ne manque pas, il commence toujours de la même façon : « Comment tu t'appelles ? » Elle a appris la leçon depuis longtemps, aucune hésitation : « Z'm'appelle Wenée. »

Surtout, que Papa m'aime.

Pourquoi il ne le dit jamais ?

Pourquoi il trouve toujours à redire, sur elle ? Pourquoi ce n'est jamais assez parfait pour lui, ce qu'elle fait ? Pourquoi il est si chaleureux, si tendre avec elle sur la scène, et si indifférent, si rude, parfois, dans la vraie vie ? Pourquoi il semble l'aimer tellement sur la scène et si peu dans la vraie vie ?

Je t'aime, Papa.

M'aimes-tu ?

Chapitre quatre
Le rêve

Il y a ce rêve.

Ce rêve, qui revient.

Elle est au volant d'une voiture qui roule lentement. Elle conduit comme elle peut, comme peut le faire une enfant de six ans.

Difficile de tout maîtriser en même temps.

Devant, il y a une autre auto, qui, elle, file à vive allure. Dans cette autre auto : son père.

Elle crie : « S'il te plaît, Papa, attends-moi… »

Son père ne ralentit pas.

Elle crie de plus belle, elle le supplie : « S'il te plaît, je t'aime, Papa, attends-moi… »

Son père ne ralentit pas.

Il s'éloigne, il s'éloigne…

Qu'est-ce que la vraie vie?

Danser, chanter, de plus en plus. Enregistrer un premier album à sept ans, avec Papa et Maman : *Noël en famille*, paroles et musique de Marcel Martel. Sourire, sourire. Porter de belles robes encore confectionnées par Maman. Faire des tournées à travers le Québec, mais aussi au Nouveau-Brunswick, en Ontario, deux fois par année : à l'automne, au printemps.

C'est sa vie. Sa vie d'enfant avec Papa et Maman. Jusqu'à dix ans.

À dix ans : chambardement.

Ses parents tranchent. Finies, pour elle, les tournées. Ça ne suffit plus, le rattrapage scolaire avec une enseignante privée, sur la route, entre deux spectacles. Elle doit fréquenter l'école à temps plein.

Elle n'est pas mécontente, au contraire. Elle adore l'école. Et elle peut enfin aller jouer dehors comme les autres enfants. Aucune répétition à l'horaire de la journée. Pas de spots braqués sur elle le soir. Une vie normale, quoi.

Elle a un nouveau petit frère depuis peu, Mario, né en 1956, qu'elle considère comme sa « poupée vivante ». Quand les parents partent au loin, les deux enfants demeurent à Drummondville, sous les bons soins d'une connaissance de longue date de la famille, madame Gaudet. Du moins au début. Car Renée préfère se faire garder chez les Sawyer, des amis de sa mère. Elle connaît cette famille depuis qu'elle est bébé, elle lui est très attachée. Les Sawyer : sa vraie famille.

Quand, au cours de sa première année de vie, son père était parti pour le sanatorium, c'est chez les Sawyer que sa mère s'était réfugiée avec elle. En 1948, Marcel Martel devant cesser de chanter et de se produire en spectacle pour cause de maladie, l'argent était venu à manquer. Il y avait bien les redevances provenant des ventes de disques enregistrés à la chaîne par Marcel avant son hospitalisation, mais ce n'était pas suffisant. Pour joindre les deux bouts, Noëlla avait trouvé un emploi dans une manufacture.

Durant la journée, la petite était confiée aux Sawyer. Noëlla n'était pas inquiète, ils s'en occupaient bien. Et ils s'en occupaient gratuitement. Jusqu'à ce que Marcel, blessé dans son orgueil, trouve que la charité avait assez duré.

Peut-être, aussi, était-il jaloux de l'affection que sa fille portait à la famille Sawyer. Au père, en particulier ? C'est l'interprétation qu'en fera Renée plus tard, elle qui finira par considérer monsieur Sawyer comme son père de remplacement.

De son lit d'hôpital, Marcel en avait décidé ainsi : on avait extirpé Renée, à trois ans, de cette famille aimante. Et elle s'était retrouvée, du jour au lendemain... dans un orphelinat. Pour plus d'une année.

Incompréhension. Sentiment de trahison, d'abandon immense. Blessure vive qui ne parviendra jamais à cicatriser tout à fait. Faute grave, à ses yeux, de la part de ses parents. Ce qu'elle aura peine à leur pardonner, malgré les années.

« Tout le monde fait des erreurs dans la vie et, d'après moi, c'est une erreur que mes parents ont commise », tranche-t-elle, une soixantaine d'années plus tard.

C'est un jour gris de décembre, elle vient d'apercevoir, parmi des photographies pêle-mêle, amassées dans une boîte en plastique, sa triste frimousse de l'époque, à l'orphelinat.

Quand, plus tard, elle confronte sa mère octogénaire sur le sujet, Noëlla Therrien, drapée dans sa dignité, a ces mots : « On m'avait dit que tu serais bien, là-bas. Le curé Demers m'avait conseillée... »

La réplique de Renée, cinglante, ne tarde pas : « Il était bien nono, le curé Demers ! »

Suite du dialogue de sourdes entre la mère et la fille, autour d'un repas qui s'étire, dans un restaurant de Drummondville, un jour verglacé de février 2011.

— C'est vrai que tu étais bien, là-bas. Il y avait sœur Lépine qui t'avait toujours en dessous du bras, tu te souviens ?

— C'était un orphelinat ! Les autres petites filles attendaient d'être adoptées. Elles me regardaient bizarrement. Elles me disaient : « Comment ça se fait que tu es ici, toi ? Tu as un papa et une maman... » Qu'est-ce que je pouvais leur répondre ?

— Mais ton papa était à l'hôpital...

— Rien. Je ne disais rien.

— J'allais te voir tous les samedis après-midi. Dans ce temps-là, on travaillait le samedi matin... À midi, je prenais l'autobus jusqu'à Nicolet, pour me rendre à l'orphelinat. Et le dimanche, je prenais l'autobus jusqu'à Montréal, pour aller voir ton père à l'hôpital.

— J'avais, quoi… quatre ans et demi quand je suis sortie de là?

— On t'a reprise avec nous quand ton père a quitté l'hôpital. Tu étais la petite princesse de la maison. Tu as été notre enfant unique pendant neuf ans et demi: on t'a gâtée, on t'a donné tout ce qu'on pouvait.

Oui, mais une famille? Une vraie famille, qu'est-ce que c'est? Qu'est-ce que c'est, sinon la famille Sawyer?

Après sa sortie de l'orphelinat, elle a continué de faire des séjours plus ou moins prolongés chez les Sawyer. Sentant leur fille partagée entre ses deux lieux de vie, Marcel et Noëlla en sont venus, lors de la vente de leur maison, à emménager dans le même immeuble que leurs amis. Les Martel en haut, les Sawyer en bas : Renée n'a qu'à descendre ou monter l'escalier pour alterner entre ses deux familles. Le plus souvent, c'est dans l'appartement du bas, celui des Sawyer, qu'elle se réfugie. C'est là qu'elle trouve son équilibre. Elle s'y sent bien, en sécurité. Elle se sait aimée au sein de cette famille stable, terre à terre, où elle a sa propre chambre, ses affaires à elle.

Chez les Sawyer, on se réunit gaiement autour du jeu de tock, auquel Renée excelle. Les enfants jouent dehors au retour de l'école. Ils peuvent crier, rire aux éclats, n'importe quand, sans crainte de déranger. Ils se couchent à une heure normale et ils dorment tous les soirs dans leur lit.

Rien à voir avec sa famille d'artistes toujours sur la route, sur le qui-vive, qui ne parle que de spectacles, de musique, de chansons, de costumes de scène… Qui ne vit que pour le showbiz… quand Marcel Martel est d'attaque. Quand il n'est pas au sanatorium ou à l'hôpital, pendant des mois, des années, pour tenter de soigner sa tuberculose.

Avec le temps, en y repensant bien, Renéé en viendra à considérer qu'elle a eu une chance extraordinaire, finalement, comme enfant : « J'avais deux *sets* de parents. Et deux vies : une vie de bohème et une vie ordinaire. »

C'est avec les Sawyer qu'elle a fait ses premiers pas, dit ses premiers mots. Et, comme les deux filles de la famille, plus âgées qu'elle, appelaient leurs parents « papa et maman », c'est tout naturellement qu'elle s'est adressée à eux de la même façon, dès le début.

Renée voit les deux filles Sawyer comme ses grandes sœurs. La mère la traite comme si elle était la petite dernière de la famille. Et le père, ah, le père… il la cajole, la fait rire, lui achète des gâteries. Il cherche toujours à lui faire plaisir. *Merci, Papa Sawyer !*

Depuis qu'elle est haute comme trois pommes, c'est vers lui qu'elle se tourne quand elle a besoin d'être rassurée, consolée, protégée. Il est toujours là pour elle, pour prendre sa défense dans l'adversité. Elle est pour lui « de l'or en barre », qu'il dit.

Un jour, elle devait avoir cinq ans, un ouvrier qui travaillait près de la maison lui a fait une très mauvaise blague. Il lui a offert ce qu'elle croyait être une pièce de monnaie : « Tiens, c'est pour toi. Pour t'acheter un beau cornet de crème à glace. »

Elle a couru jusqu'à la crèmerie du coin, commandé un cornet à deux boules. Mais, au moment de payer son dû à celui que les gens du quartier appelaient « le bonhomme Antaya », elle a constaté comme lui que ce qu'elle tenait précieusement dans sa petite main était en fait… une médaille. Mécontent, le commerçant a jeté le cornet à la poubelle, tout simplement.

Une fois revenue chez les Sawyer, Renée a tout raconté à son papa de remplacement. Il l'a prise tendrement dans ses bras.

Puis, main dans la main, il est allé avec elle jusqu'à la crèmerie. Hors de lui, il a sommé le bonhomme Antaya d'offrir un nouveau cornet à « sa fille ». « Et j'te donne pas une cenne », a-t-il insisté.

Renée n'a jamais oublié ce gros cornet à deux boules qui n'a rien coûté. Et elle se rappelle encore le visage cramoisi, craintif de l'ouvrier qui s'est fait parler dans le nez, sur le chemin du retour à la maison. *Merci, Papa Sawyer !*

Elle n'oubliera pas non plus la fois où son protecteur s'est amené en furie dans la classe de sa maîtresse de sixième année, qui lui faisait la vie dure, à l'école Sainte-Thérèse. Comme la plupart des religieuses de cette institution où enseignaient aussi des laïques, sœur Joséphine n'avait pas une très bonne opinion de Marcel Martel, du fait qu'il était dans le showbiz : chanteur western, un « métier du diable » ! « Pour ces religieuses, et particulièrement pour sœur Joséphine, j'étais la fille du diable », se souvient Renée.

Affligée d'un problème d'audition depuis sa naissance, Renée avait un billet du médecin spécifiant qu'elle devait être placée à l'avant de la classe. Mais sœur Joséphine en avait décidé autrement : elle l'avait installée à l'arrière.

Apprenant la nouvelle, Papa Sawyer a pris sa protégée par la main et s'est rendu subito presto à l'école avec elle. Il l'a fait asseoir dans le corridor, puis il est entré dans la classe de la fautive pour lui dire ses quatre vérités. Il a refermé la porte derrière lui. Clac !

D'où elle était, par la fenêtre ouverte en haut de la porte, Renée l'entendait crier à tue-tête : « Écoute-moi bien, Joséphine, si jamais ça se reproduit, je te décapine ! T'as compris ! »

Renée se rongeait les sangs sur sa chaise dans le corridor. Elle entrevoyait le pire, elle visualisait déjà l'horrible scène.

Elle craignait par-dessus tout de retourner à l'école le lendemain. Mais, au matin, son pupitre était en tête de la classe. Et il le restera tout le reste de l'année. *Merci, Papa Sawyer!*

Même une fois devenue adulte, installée à Montréal, même au faîte de sa carrière, Renée conservera sa chambre chez les Sawyer. Elle appellera régulièrement le père :

— J'ai deux jours libres. Je m'en viens. Prépare le jeu de tock.

— Il est quelle heure ?

— Deux heures.

— Je ne te veux pas ici avant trois heures et demie.

Ça voulait dire : « Ne roule pas trop vite, la p'tite. Sois prudente. »

Après la mort de son protecteur, en 1972, Renée continuera d'entretenir des liens serrés avec Maman Sawyer et ses deux filles. Au fil des ans, elle retrouvera avec joie les membres du clan élargi, cousins, cousines et autres, venus assister à ses spectacles.

Merci, famille Sawyer!

Chapitre sept

L'Américaine

Elle a douze ans quand son père se voit retirer plusieurs côtes et subit l'ablation d'un poumon. Après quoi un pneumologue conseille à Marcel Martel de déménager dans un endroit où le climat est plus clément. À la fin de l'année 1959, la famille s'installe en Californie, où Marcel a de la famille. Jobines ici et là pour survivre. L'argent se fait rare, les temps sont durs, la mère et la fille s'habillent à l'Armée du Salut.

Mais trop d'humidité, trop de smog, à Los Angeles, pour la santé fragile de Marcel. Ils mettent le cap vers l'est. D'abord : Glens Falls, dans l'État de New York. Puis Springfield, au Massachusetts.

Renée poursuit ses études secondaires. Elle apprend l'anglais, qu'elle parle bientôt couramment. Elle est timide, tout en intériorité, mais elle se fait un petit copain états-unien. Elle découvre le country américain. Elle découvre tout un monde, elle est dans la fascination. Elle en vient à se dire elle-même américaine et à délaisser complètement la langue française.

Pour se faire de l'argent de poche, elle va garder les enfants, de temps en temps, chez les familles du coin. Un jour qu'il y a un mariage dans le quartier, elle a sept enfants en même temps sous ses soins. Son salaire à la fin de la soirée : un gros vingt-cinq sous. Ce qu'elle est fière de son gain !

Elle suit des cours d'accordéon. Mais, après une année, sa mère décide que c'est assez : trop lourd pour elle, cet engin, elle est toute courbée, ça va lui briser le dos. Ce sera le piano.

À quatorze ans, elle recommence à chanter en public. Son répertoire se compose essentiellement de country américain : Patsy Cline, Brenda Lee, Connie Francis… L'état de santé de son père s'est amélioré, les tournées reprennent. D'abord, en Nouvelle-Angleterre. Puis, deux fois par année, à travers le Québec.

Le retour définitif au bercail a lieu en 1963. Elle a seize ans. Cette année-là, elle commence à chanter régulièrement à l'émission musicale animée par son père à la télévision de Sherbrooke, CHLT. Et, encouragée par lui, elle enregistre sur étiquette Météor, qui est aussi la maison de disques de la vedette montante Michèle Richard, son premier quarante-cinq tours solo : *C'est toi mon idole*, version française du hit américain *My Boy Lollipop* de Millie Small.

Elle est inscrite à des cours de français, de diction. Elle a une professeure de chant attitrée. Elle suit aussi des cours de personnalité, reçoit une formation en maquillage.

« On avait décidé, son père et moi, que si elle voulait faire ce métier-là, il fallait qu'elle le fasse bien, explique Noëlla. On voulait lui donner tous les outils pour qu'elle ne soit jamais prise au dépourvu et qu'elle réussisse sa carrière. »

Parallèlement, les tournées continuent avec ses parents. Renée devient bientôt la chanteuse officielle du groupe. Elle remplace sa mère, qui délaisse de plus en plus la scène pour travailler dans l'ombre. Noëlla gère les carrières de Marcel et de Renée, elle est l'administratrice de la famille. Et ça lui va très bien ainsi. Aucun regret, même cinquante ans plus tard : « Ils chantaient tous les deux, alors ça en prenait une pour les écouter… », glisse-t-elle, suave.

Quand, en 1965, Marcel Martel perd son emploi à CHLT, il déprime, s'enferme à la maison pendant un an. Renée, de son côté, s'interroge sur son avenir. Elle songe à abandonner la chanson pour se tourner vers… la profession d'hygiéniste dentaire.

Sa meilleure amie, Claudette Gaboury, exerce ce métier. Toutes les deux passent un temps fou ensemble, elles «couraillent» après les garçons, s'encouragent, se soutiennent, partagent tout. Elles se sont connues en 1963, à Berthierville, où Renée, seize ans, donnait un spectacle. Claudette, quinze ans, une fille du coin, était allée la voir après le show pour la féliciter et, tout de suite, le courant avait passé: elles étaient devenues amies instantanément.

Elles resteraient liées au fil des années, connaissant tout de la vie de l'autre, des deuils de l'autre. S'épaulant. Et voyageant ensemble souvent, au Mexique ou ailleurs. Ce serait encore le cas plus de cinquante ans après leur première rencontre.

Loyale et fidèle en amitié, Renée.

À dix-huit ans, la profession exercée par son amie Claudette lui paraît des plus attrayante. Elle se dit: «Pourquoi pas moi?» Un dentiste de Drummondville, ami de son père, la prend à l'essai, comme assistante. Mais la première fois qu'il extrait une dent en sa présence, elle s'évanouit. «Tu ferais mieux de retourner chanter», lui conseille le dentiste.

Elle décide de poursuivre sa carrière dans le showbiz sans son père. Et de se teindre en blonde.

C'est son père qui l'a conseillée. Déjà, à dix-huit ans, des fils argentés parsèment les longs cheveux châtain clair de Renée, héritage familial du côté de sa mère.

Il lui paie sa première teinture professionnelle. Marcel, faiseur d'image de sa fille, veut qu'elle irradie, qu'elle «explose».

Chapitre huit

L'été de ses dix-huit ans, Renée part en tournée en Gaspésie avec une quinzaine d'artistes, dont Donald Lautrec, qui deviendra un ami.

Un soir, ils prennent un verre tous ensemble après le spectacle. Elle se sent mal. Sa vodka jus d'orange ne passe pas. Elle est étourdie, prise de nausée. Le présentateur du spectacle, un homme en vue, bien connu dans le milieu, respecté, puissant, se lève prestement et la conduit à sa chambre en la tenant fermement par le bras.

Une fois la porte refermée, elle n'a pas le temps de reprendre ses esprits qu'il lui saute dessus. Il a tellement envie d'elle, il n'en peut plus. Elle proteste, tente de le repousser. En larmes, elle le supplie d'arrêter, tandis qu'il besogne sans broncher.

Il la prend comme s'il était dans son droit. Comme si elle était une poupée inanimée, une chose lui appartenant, une pute, une moins que rien. Puis il s'en va.

Elle se sent sale, souillée, elle est submergée par la honte. Elle passe une partie de la nuit à courir entre la douche et le lit, en pleurs.

Au matin, elle croise par hasard ses parents, en tournée de leur côté en Gaspésie. Ils se sont arrêtés en bordure de la route. Quelqu'un a eu un accident, les policiers sont sur place. Oh, un léger accident.

Renée reconnaît son violeur : l'accidenté, c'est lui, il est en train de s'entretenir avec les policiers dans son auto. Avant leur arrivée, il a demandé au bon Marcel Martel de prendre son fusil, qu'il trimballe sans permis.

Renée, en petits morceaux, dit tout à ses parents. Sa mère compatit, tente de la consoler. Son père fulmine : quoi, cet écœurant s'en est pris à sa fille ? « Le tabarnak ! »

Quand, une fois les policiers partis, Marcel Martel a en face de lui le violeur, cet homme en vue, bien connu dans le milieu, respecté, puissant, que fait-il ? Il lui remet son fusil comme si de rien n'était. Il ne dit rien. Il ne porte pas plainte non plus par la suite. Quant à Noëlla, elle demeure dans l'ombre de son mari.

Renée se sent démunie. Elle est considérée comme mineure : l'âge de la majorité est encore fixé à vingt et un ans. Elle comptait sur son père pour prendre les choses en main. L'idée de porter plainte par elle-même ne lui vient pas du tout à l'esprit.

Fermer sa gueule, porter son fardeau : c'est ce qu'elle croit devoir faire. C'est ce qu'elle fait. Aucune accusation ne sera portée contre le violeur en question.

Renée ne révélera jamais publiquement le nom de son agresseur. Mais elle refusera systématiquement tous les contrats impliquant de le côtoyer à nouveau. Ça n'empêchera pas monsieur X d'aller la voir en spectacle de temps en temps. Et de se présenter ensuite à sa loge, impunément. Mais refus d'entrée absolu pour lui : le mot d'ordre sera suivi à la lettre par l'entourage de Renée Martel.

Elle n'oublie pas. Elle n'oubliera jamais cette souillure, cette honte. Et cette lâcheté, de la part de ses parents, de son père, surtout. Il n'a même pas été capable de prendre sa défense.

Son père, son sauveur, son héros : elle aurait tellement aimé y croire, y croire encore, l'été de ses dix-huit ans.

Chapitre neuf

Les coups

Elle agit un temps comme maîtresse de cérémonie dans un cabaret montréalais, La Karikature, tenu par le chanteur populaire Fernand Gignac. Puis, en 1966, elle forme un band, qui joue de bar en bar, à Sherbrooke, à Baie-Comeau ou ailleurs au Québec. Le nom du groupe : Renée & the Silverboys ; c'est l'époque des bands costumés, c'est dans l'air du temps, ses musiciens se vaporisent les cheveux avec du fixatif argenté. L'aventure va durer un peu plus d'une année.

Entre deux spectacles, deux tournées, elle reprend, la plupart du temps, son souffle chez les Sawyer, sa vraie famille. Elle se montre de plus en plus indépendante face à ses parents. Ses rapports avec son père sont tendus à l'extrême.

Il n'a jamais su comment jouer son rôle de père avec elle, il n'a jamais été un vrai père pour elle. C'est la chanson, sa passion, qui a toujours été au premier plan. Impossible pour lui de décrocher. Et pas moyen pour elle, depuis toute petite, de bouger, de parler normalement dans la maison, pas moyen d'exister tout simplement, de crainte de le déranger, de porter atteinte à son inspiration. De crainte de troubler son silence aussi, quand il s'allonge, épuisé. Elle lui en veut de plus en plus. Les conflits entre eux s'accentuent.

Il a toujours été impulsif, orageux. Il a toujours été exigeant, directif, avec elle. Il est devenu violent. Violent verbalement, physiquement. Avec elle, seulement.

« À table, pendant le repas, je n'avais pas le droit de le regarder dans les yeux, raconte-t-elle. Si j'avais le malheur de le fixer, je recevais une volée. Il était déchaîné. Pour un oui ou pour un non, je me retrouvais poussée dans le mur. »

Dans son souvenir, sa mère ne s'interpose pas, ne la protège pas : « Elle ne disait rien. C'était une femme soumise à son mari. »

Le même scénario se reproduit, à répétition. Jusqu'à ce qu'elle quitte la maison pour de bon. À l'âge de dix-neuf ans. Jusqu'à ce qu'il la mette à la porte, en fait. Parce qu'elle était rentrée trop tard, à deux heures dans la nuit.

Quand elle reparle de tout cela, à soixante ans passés, elle a les yeux dans l'eau. Mais, chut, sujet tabou.

Certains jours, elle se dit que son père, orphelin de mère très jeune et élevé à la dure dans une famille nombreuse, ne pouvait pas faire mieux. Elle se dit que c'était peut-être une question d'époque aussi. Les corrections physiques, en ce temps-là, étaient assez courantes, non ? Et les hommes, les vrais, n'avaient pas coutume de témoigner leur affection, leurs émotions. Au contraire, ils devaient faire preuve d'autorité…

Certains jours, elle cherche à l'excuser.

Certains jours, elle ne sait plus quoi penser.

Et puis il y a sa mère. Sa mère digne, sa mère veuve, vieille, à qui elle ne veut pas faire de la peine. Noëlla Therrien, garante de la mémoire de son cher mari, ne tolérerait pas qu'on salisse la réputation de Marcel Martel.

Elle non plus, d'ailleurs. Renée Martel ne veut pas ternir l'image du gentleman cowboy accolée à son père. Elle se refuse absolument à jouer le rôle de la fille ingrate. Elle lui doit tant. Elle a eu le meilleur père de la terre concernant sa carrière, impossible de le nier.

Et puis, pas question de jouer les victimes, c'est sa ligne.

Chapitre dix

L'amour-haine

La mère et la fille, ensemble, ne parlent surtout pas des débordements violents du père. Pas directement, en tout cas. Elles marchent sur des œufs toutes les deux quand, lors du repas qui s'étire dans un restaurant de Drummondville en février 2011, est abordé le sujet du père autoritaire.

« Vous aviez deux caractères forts, dit la mère. Moi, je faisais la police, j'étais l'avocat entre vous deux. »

Renée fixe son assiette, elle respire fort, mais elle ne dit pas un mot. Pour l'instant.

« C'est vrai que ton père était sévère, poursuit Noëlla. Très sévère. Avec lui, c'était la perfection ou ça ne passait pas. Il était vite, il était prompt. Il était impulsif… comme toi. »

Renée en convient : « Impulsif comme moi, oui. » Elle ronge son frein. Elle picore dans son assiette. De toute façon, elle n'a pas très faim. Elle se sent fiévreuse. Et elle a des problèmes d'estomac. À moins que ce soit le foie ?

Sa mère lui a conseillé le poisson du jour, avec un Perrier. Et une soupe, une bonne soupe, pour commencer. Mais tout ou presque est resté en plan. Renée ne mange presque plus depuis des mois. Elle vomit tout, la plupart du temps.

À partir de ce début d'année 2011, sa santé ira en se détériorant. Bronchites, laryngites. Et pneumonies, qui lui feront craindre le pire, vu ce demi-poumon qu'on lui a prélevé une douzaine d'années auparavant. Elle tentera chaque fois de se soigner par elle-même, abusera des sirops à la codéine, des médicaments de toutes sortes, avant de se décider à consulter un médecin et d'avoir recours aux antibiotiques.

Le pire sera encore à venir. À l'automne 2011, à la suite d'examens approfondis, on décèle chez elle de graves problèmes de foie. Puis tombera, le printemps suivant, le verdict implacable d'un cancer du foie. À l'automne 2012, elle entreprendra de longs traitements de chimiothérapie.

En ce jour de février 2011, la discussion se poursuit entre la mère et la fille. C'est tendu.

— Tu as hérité du caractère de ton père.

— Je ne suis pas un diable, quand même !

— Non, mais ton père non plus n'était pas un diable. Il n'avait pas si mauvais caractère. Ce n'était pas un fou, il comprenait le bon sens. Et il était sévère pour la bonne cause. Il voulait que tu fasses ton métier à la perfection. Il n'acceptait pas d'erreurs, mais ça avait du bon.

— Quand tu n'as pas le droit à l'erreur, c'est vraiment *rough*…

Renée broie du noir, tête baissée. Sa mère lui conseille de manger un peu, pour prendre des forces.

Fin de la discussion concernant le père autoritaire.

La fille ne fait pas mention, devant sa mère, de la dernière fois où son père a tenté de s'en prendre à elle physiquement.

Elle avait accepté de l'accompagner, en août 1967, en Ontario, pour ce qu'elle considérait à l'époque comme leur dernière tournée ensemble. Elle avait vingt ans, elle volait de ses propres ailes, à Montréal. Elle venait d'enregistrer, quelques mois auparavant, *Liverpool*. Sa carrière était sur le point de démarrer pour de bon. Elle n'était déjà plus la fille de Marcel Martel, elle devenait Renée Martel. Elle allait devenir la cowgirl dorée.

Ce soir-là, Renée ne se sent pas bien, elle est grippée. Elle fait quand même son tour de chant. Mais elle qui habituellement suit son temps et commence à chanter au bon moment se trompe dans une chanson.

Elle sort de scène, le spectacle est terminé. En coulisse, il y a son père qui lui rentre dedans.

— Tu étais pourrie. C'est épouvantable ce que tu viens de faire là.

— Écoute, Papa, je suis malade, je me suis trompée, c'est tout.

Il la bouscule, la heurte brutalement.

Elle est en train de mettre ses espadrilles, elle en a une dans les mains. Il la moleste encore. Alors elle le fait : pour la première fois de sa vie, elle se défend contre lui. Elle répond à ses coups, avec son espadrille. Son père est estomaqué.

Elle dit : « Tu t'en prends à moi, je m'en prends à toi. » Puis : « Je vais te dire une chose : quand ce sera fini, tu ne me retoucheras plus jamais de ta vie. »

Ça dure. Et ça dure. Il attaque, elle attaque. Il attaque, elle attaque. Puis il cesse, elle aussi. C'est fini.

Je te déteste, Papa.

Je te déteste.

Je t'aime, Papa.

Il ne lui adresse plus la parole.

Elle non plus.

Deux semaines que ça dure.

Deux semaines ont passé, depuis qu'elle l'a affronté à coups d'espadrille, en sortant de scène, en Ontario. « Quand ce sera fini, tu ne me retoucheras plus jamais de ta vie. »

Elle repasse la scène dans sa tête, elle se revoit, déchaînée. Aucun regret. Bien fait pour lui.

Deux semaines que ça dure, qu'ils ne se parlent plus, quand il s'approche d'elle, doucement. Qu'est-ce qu'il lui veut ? Il a un air contrit qu'elle ne lui connaît pas.

Il est ému, il a les larmes aux yeux, quand il lui dit, dans un souffle : « Pourrais-tu me pardonner tout ce que je t'ai fait vivre ? »

Du tac au tac, elle lui répond : « Pardonner, oui. Mais oublier, jamais. »

Jamais, jamais elle ne pourra oublier.

Jamais plus il ne s'en prendra à elle physiquement. Jamais plus poussée dans le mur par son père.

Ni par personne d'autre.

Gaspésie

~

Pas le droit de craquer, dans sa loge improvisée, sous la bâche, à Gaspé. Pas maintenant.

Pas aujourd'hui, ce 17 juillet 2010.

Deux ans. Deux ans, jour pour jour, qu'elle s'est mariée avec Bruno au pied du rocher Percé. Mariée symboliquement, en secret.

Le vrai mariage, l'union officielle, devant la famille, les amis, devait avoir lieu sept mois plus tard. Le jour de la Saint-Valentin en 2009. Les alliances étaient réservées chez le bijoutier, Bruno les avait choisies avec elle, peu après leur retour de Gaspésie.

Ils annonceraient la grande nouvelle à Noël. Lui, à sa fille, à ses parents, à son frère; elle, à son fils, à sa fille, à sa mère. Ils leur annonceraient la nouvelle à Noël, pas avant. Ce serait leur secret jusque-là. Personne, pas même les amis proches, n'en saurait rien. Ce serait leur bulle, leur cocon, leur nuage ouateux. Leur conte de fées à tous les deux.

« Me verrais-tu comme ton mari ? »

Bruno lui avait posé la question plusieurs fois déjà.

Elle était en pleines procédures de divorce. Après plus de vingt ans de mariage avec Georges Lebel, le père de sa fille. Elle ne se voyait pas dire oui à Bruno, pas tout de suite.

Peut-être jamais.

Bruno et elle s'aimaient, ils vivaient ensemble. Pourquoi voir plus loin ? Elle avait soixante et un ans, lui, treize années de moins. Elle avait des problèmes d'alcool, lui, des problèmes de drogue. Ils fréquentaient ensemble des groupes de soutien pour personnes aux prises avec une dépendance. Ils faisaient des rechutes, séparément. Parfois en même temps.

Elle avait depuis peu recommencé à chanter, à faire de la scène. Alors qu'elle avait cru que sa carrière était à jamais terminée, à cause de ses problèmes de santé, de son demi-poumon en moins.

En mai 2008, entourée d'un nouvel agent et d'une nouvelle équipe de production, elle avait lancé son album *L'héritage*, auquel avait collaboré un de ses fans les plus fidèles depuis *Liverpool* et *Je vais à Londres* dans les années 1960 : Richard Desjardins. S'était aussi rendu disponible pour ce disque celui qui avait fait d'elle, en 1976, la cowgirl dorée : Robert Charlebois. De même que la jeune Catherine Durand, comme un pont entre les générations.

Renée Martel était loin de se douter qu'elle recevrait, l'année suivante, au gala de l'ADISQ, le Félix du meilleur album country. Et celui du meilleur spectacle. Son premier Félix à vie pour un show, en cinquante-sept ans de carrière.

Elle s'apprêtait à entamer sa tournée, fébrile, angoissée comme une jeune chanteuse à ses débuts. Mais décidée, habitée, inspirée. Enfin.

Elle avait repris goût, à son insu, à ce qu'elle savait faire de mieux, depuis toute petite : chanter, faire de la scène. Elle avait des ailes. Elle s'y accrochait. Elle en avait besoin.

Le 8 juillet 2008, le jour même où elle avait reçu les papiers officialisant son divorce avec Georges Lebel, Bruno avait réitéré sa demande en mariage. Elle avait repoussé l'échéance, encore une fois. Besoin de voir clair en elle, de laisser retomber la poussière.

Il y avait ce deuil, aussi, qui la chamboulait.

Avant Bruno, avant Georges, il y avait eu Jean-Guy. Jean-Guy Chapados, le père de son fils.

Il venait de mourir d'une longue maladie. Il avait été son chef d'orchestre, son bassiste, son protecteur pendant tant d'années. Et, pendant un temps, son amour.

Un amour qui ne veut pas mourir, en 1972, c'était lui. C'est en pensant à Jean-Guy Chapados qu'elle avait traduit et adapté les paroles de cette chanson américaine, à l'époque.

Elle n'avait jamais tout à fait coupé les ponts avec lui. Ils étaient restés amis. Et Jean-Guy Chapados était demeuré son bassiste attitré pendant une vingtaine d'années. Il était arrivé que leur fils musicien, Dominique, se joigne à eux sur scène. Il leur arrivait encore, ces dernières années, de se retrouver tous les trois au restaurant, pour le simple plaisir d'être ensemble, en famille.

Dans les années qui avaient suivi leur rupture amoureuse, Jean-Guy Chapados lui avait demandé plusieurs fois de reprendre la vie commune. Elle avait refusé. Par orgueil : elle n'était pas du genre à revenir sur une décision. Elle en avait bavé ensuite, elle l'avait regretté. Trop tard, il avait refait sa vie.

Peu avant de mourir, il lui avait dit qu'elle avait été la femme de sa vie. Et qu'il aurait aimé vieillir avec elle.

Jean-Guy Chapados avait rendu l'âme le 5 juillet 2008.

Le 17, elle s'était retrouvée avec Bruno au pied du rocher Percé.

Le rocher Percé, elle l'avait vu cent fois au moins depuis ses premières tournées en Gaspésie avec ses parents. Elle y était même allée avec Jean-Guy Chapados du temps de leurs amours, dans les années hippies. À bord d'une vieille Westfalia orange, ils avaient campé durant une semaine face à l'îlot rocheux.

Mais, pour Bruno, c'était la première fois.

Il était émerveillé, ébloui par la majesté du lieu.

Il avait un cornet de crème glacée à la main, il avait l'air d'un petit garçon. Elle le trouvait tellement beau. Elle l'a pris en photo. Puis elle a accouru vers lui, elle lui a sauté au cou.

Quand la question est revenue, elle a répondu oui, spontanément.

Bruno a sursauté.

— Tu me marierais, vraiment?

— Oui.

C'était clair, net, précis. Mais quand?

Bruno a évoqué la date du 14 février 2009. Elle trouvait ça loin, il a eu peur qu'elle change d'avis: « Attends-moi, on va se marier tout de suite. » Un homme et une femme se baladaient en se tenant par la main sur le quai, il est allé les chercher en courant.

Deux témoins anonymes. Et des anneaux déjà utilisés, chargés d'autres symboles. C'est tout. Aucun papier, aucune signature.

En cinq minutes, tout était terminé.

Il était quatorze heures vingt, le 17 juillet 2008, au pied du rocher Percé.

« À partir de maintenant, tu es ma femme, je suis ton mari. »

C'était il y a deux ans. Deux ans aujourd'hui.

Chapitre douze

Le côté B

À vingt et un ans, Renée ne se pose plus la question de ce qu'elle veut faire dans la vie : depuis *Liverpool*, depuis *Je vais à Londres* surtout, elle le sait.

C'est arrivé comme une bombe, ça va tout changer.

Au début de l'année 1967, pourtant, elle a failli tout lâcher. Encore une fois. Pas pour devenir hygiéniste dentaire : elle avait eu sa leçon. Pour faire carrière dans le design d'intérieur, cette fois. Elle rêvait d'être décoratrice, projetait de s'inscrire à l'université. Et puis elle était fiancée avec Léandre, un gars du coin, elle voulait se marier, fonder une famille, elle rêvait de s'établir avec lui dans une petite maison de campagne, dans le quatrième rang de Saint-Cyrille, près de Drummondville.

Elle avait enregistré plusieurs quarante-cinq tours auparavant, dans tous les styles, qui avaient plus ou moins bien marché. Elle avait même tenté sa chance, en 1966, avec la chanson rock *Ces bottes sont faites pour marcher*, popularisée en anglais par la jeune vedette américaine Nancy Sinatra. Il y avait eu quelques tournées collectives aussi, dont cette fameuse tournée en Gaspésie avec une quinzaine d'artistes, l'été de ses dix-huit ans.

Mais tout cela sans grandes retombées pour sa carrière.

« J'étais une petite vedette, convient Renée. J'étais connue en région, surtout. Ma carrière ne démarrait pas vraiment. »

Devant la popularité fracassante de la jeune interprète de *La plus belle pour aller danser* et des *Boîtes à gogo*, Michèle Richard, dont il connaissait très bien le père violoneux, Marcel Martel insistait pour que Renée persévère : « Si la fille de Ti-Blanc Richard a réussi, il n'y a aucune raison pour que tu n'y arrives pas. Tu es aussi capable qu'elle ! »

Son contrat avec la maison de disques Météor, à Sherbrooke, s'était terminé en 1966, et Renée s'était dit que ça ne valait plus la peine de continuer. Elle en avait assez de se battre pour exister comme chanteuse. Elle était allée voir son père, décidée : « Papa, le showbiz, ça ne m'intéresse plus. C'est fini. »

C'est lui qui l'avait convaincue de tenter sa chance une dernière fois.

Noëlla Therrien s'en souvient : « Mon mari croyait beaucoup en Renée. Il la poussait. Il voulait qu'elle devienne une vedette, qu'elle fasse carrière à Montréal. Moi, je le laissais faire, je me disais : "En autant qu'elle aime ça…" »

Son père l'avait mise au défi, elle avait accepté de faire une ultime démarche en se disant : « Si ça ne marche pas, tant pis. » Elle était allée, timidement, rencontrer des producteurs de disques à Montréal. Sans quoi *Liverpool*, le premier véritable hit de Renée Martel, n'aurait jamais vu le jour en 1967. Ni l'énorme succès *Je vais à Londres* l'année suivante. La cowgirl dorée n'aurait peut-être jamais existé, qui sait ?

Ce jour-là, à Montréal, rien n'avait marché comme prévu. Son père avait pourtant tout arrangé avec la compagnie de disques Trans-Canada, qui avait pris sous son aile Michèle Richard. Renée devait d'abord s'entretenir avec un agent d'artistes influent de l'époque, responsable entre autres de la carrière de Ginette Reno : Gilles Talbot.

Mais, une fois dans le bureau avec lui, la conversation à peine entamée, elle voit débarquer l'une des protégées de l'agent : Dany Aubé, jeune vedette montante de l'heure. Gilles Talbot demande alors à la fille de Marcel Martel, déboussolée, d'attendre dans le corridor.

Piteuse, la tête dans les épaules, elle n'a qu'une envie : prendre ses jambes à son cou. Passe soudain devant elle l'agent d'artistes Gerry Plamondon, qu'elle connaît bien, qui l'a toujours appelée affectueusement « ti-fille ». De but en blanc, il lui lance : « Ti-fille, j'ai une chanson pour toi dans ma mallette. »

Gerry Plamondon la conduit dans le bureau de celui qui est considéré dans le milieu comme l'un des rois de l'époque, Denis Pantis : il s'occupe de la carrière du groupe dans le vent Les Sultans, aussi de celle de Michel Pagliaro… et de Michèle Richard.

Trente minutes plus tard, Renée a une chanson (*Liverpool*), un imprésario (Gerry Plamondon) et une compagnie de disques (D.S.P.).

Dans les faits, *Liverpool* figurait sur la face B du quarante-cinq tours. C'est d'abord sur la face A que misait l'imprésario de la chanteuse, avec *Oublie ces mots*, chanson que Renée détestait : « Mon ami, écoute bien ce que je vais te dire maintenant/J'ai trop longtemps gardé ce que j'avais dans le cœur, mais voilà/Tu n'es plus pour moi ce que tu étais autrefois en tout cas/Mon amour pour toi est mort, oh non ne pleure pas. »

Il s'agissait de l'adaptation d'une chanson en anglais, dont Nanette Workman interprétait pour sa part une autre version, sous le titre *Je me rétracte* : « Le voilà qui arrive, je dois tout lui dire aujourd'hui/C'est triste comme un jour de pluie/Mais il faut que je lui dise que tout est fini/Baby, écoute-moi, baby, ça fait deux jours que j'en [*sic*] réfléchis/Ça fait deux jours que j'en frémis, mais j'ai décidé qu'aujourd'hui/Oui, entre nous c'est fini. »

C'est d'abord avec *Oublie ces mots* que Renée Martel s'est amenée à l'émission-culte *Jeunesse d'aujourd'hui*, animée par Pierre Lalonde et Joël Denis. Sauf que, quelques semaines auparavant, Nanette Workman, déjà connue entre autres pour son interprétation de *Guantanamera*, avait livré à la même émission *Je me rétracte*.

Le premier passage de Renée Martel à *Jeunesse d'aujourd'hui* a fait chou blanc. Ce n'est qu'à sa deuxième apparition que sa carrière montréalaise a décollé, après que Gerry Plamondon a décidé de lui faire interpréter le côté B du quarante-cinq tours.

Le succès de *Liverpool*, numéro un au palmarès, a par la suite amené Renée Martel à se produire dans un des shows de l'heure à Montréal : celui des Sultans, qui signaient, en janvier 1968, leurs adieux à la chanson, dans un centre Paul-Sauvé plein à craquer.

Je vais à Londres, adaptation qu'elle a elle-même réalisée à partir de la chanson *Next Plane to London*, de la formation britannique The Rose Garden, a fait le reste. Dans la foulée, elle a succédé à Nanette Workman comme Révélation féminine de l'année au Gala des artistes, en 1968.

Ironie du sort : cette année-là, Dany Aubé figurait sur la liste des mises en nomination comme Révélation féminine. Quant à Gilles Talbot, qui avait laissé filer Renée Martel pour Dany Aubé, il s'en mordrait les doigts.

« Je n'aurais jamais dû te laisser sortir de mon bureau ce jour-là », lui dirait-il quelques années plus tard, une fois devenu son imprésario. Ils en riraient ensemble, longtemps. Et ils deviendraient très attachés l'un à l'autre. La mort, en 1982, dans un écrasement d'avion, de cet homme de grand talent, agent, au fil des ans, de Jean-Pierre Ferland, de Pierre Lalonde, de Fabienne Thibault et de bien d'autres, allait bouleverser Renée.

Chapitre treize
La roue

Après *Liverpool* et *Je vais à Londres*, ce ne sera plus la fille de Marcel Martel, la fille d'un cowboy, non plus une petite vedette locale qu'on verra en Renée Martel. Plutôt : la star de la pop au Québec.

Avec ses longs cheveux blonds, sa minijupe et ses bottes à gogo, elle se démarque par sa grâce naturelle, son air ingénu. Se dégage d'elle une sorte d'aura qui la suivra toute sa vie.

Cette voix qu'elle a, juste, qui semble couler de source, même dans les aigus. « Et là-haut, sur le pont d'acieeeer… » Ces refrains qui accrochent, qui vont transcender les années. « Je vais à Londres, je voudrais faire du cinéma-a, je vais à Londres, je n'ai qu'un regret, c'est qu'il soit loin-in-in, de moi, a, a-a-a-a-ah. »

Elle est l'idole des adolescents, adulée de toute une génération. En pleine effervescence yé-yé, en pleine période Beatles.

« Elle était de son temps, rappelle le critique musical du journal *Le Devoir* Sylvain Cormier. Ses deux premiers succès parlent de l'Angleterre. Autrement dit : on voudrait être, ici, comme en Angleterre, on voudrait être le *swinging London*. Et puis ça s'entend aussi musicalement : sur l'enregistrement de

Liverpool, il y a une ligne de guitare fuzz pareille à celle qu'on retrouve dans la chanson *Think for Yourself*, sur l'album *Rubber Soul* des Beatles. »

Suit, dans la discographie de Renée Martel, *Viens changer ma vie*, adaptation de *Colour my World*, popularisée par la chanteuse britannique Petula Clark. Arrive bientôt *Nos jeux d'enfants*, inspirée de la chanson américaine *Games People Play*, écrite et composée par Joe South. La version française a été concoctée spécialement pour Renée Martel par Robert Gall, père de la chanteuse France Gall : il a déjà créé des textes pour Édith Piaf, Hugues Aufray, Marie Laforêt, il est l'auteur de *La mamma*, rendue célèbre par Charles Aznavour.

C'est en 1969, sur le plateau de l'émission *Jeunesse d'aujourd'hui*, qu'elle a fait la connaissance du parolier français. Il était en compagnie de la chanteuse Marie Laforêt. Renée Martel était alors en première position sur le palmarès québécois avec *À demain my darling…* chanson écrite par Robert Gall et popularisée en France dès 1966 par Marie Laforêt.

Ce jour-là, en répétition pour *Jeunesse d'aujourd'hui*, les deux chanteuses y sont allées chacune de son interprétation de la même chanson. Quand il a entendu Renée Martel chanter, Robert Gall s'est extasié devant la pureté de sa voix. Et il a tout de suite manifesté son désir d'écrire un texte spécialement pour elle.

La même année, *Nos jeux d'enfants* figurera aux côtés d'*À demain my darling* sur un album de Renée Martel accompagnée par l'Orchestre symphonique de Montréal.

L'enregistrement de ce disque demeurera pour elle le plus marquant de sa carrière. « Quand je suis arrivée en studio, que j'ai vu l'Orchestre symphonique, j'ai refermé la porte et je suis repartie. Mon producteur, George Lagios, ne m'avait pas prévenue. Il m'a rattrapée dans le corridor. Je n'avais que vingt-deux ans, je n'en croyais pas mes yeux ni mes oreilles. J'étais gênée, j'étais gelée. Je me disais : "Mon père est un cowboy et moi je chante avec l'Orchestre symphonique ? !" »

Plus de quarante ans plus tard, elle interprétera encore *Nos jeux d'enfants* dans ses spectacles. Elle la dédiera souvent à sa fille, Laurence, amoureuse dès l'enfance de cette chanson empreinte de nostalgie.

À partir de l'année 1968, la vie de Renée Martel a commencé à ressembler à un tourbillon. Elle est invitée, entre autres, à participer à la populaire tournée estivale Musicorama, aux côtés des vedettes de l'époque : Karo, Stéphane, Patrick Zabé, Dick Rivers, le groupe Les Lutins…

Elle enregistre par la suite des duos avec Michel Pagliaro, qui vient de quitter son groupe, Les Chanceliers. Il a prêté sa voix pour l'enregistrement de *Je vais à Londres*. « Le prochain départ pour Londres se fera dans cinq minutes », qu'on entend au début de la chanson, c'est lui. *Nos jeux d'enfants, Prends ma main…* Pag fera ensuite les *back vocals* sur tous les disques de Renée Martel, jusqu'à ce qu'elle change de registre, en 1972, avec *Un amour qui ne veut pas mourir*.

Ils sont vite devenus complices, ils s'amenaient ensemble sur le plateau de *Jeunesse d'aujourd'hui*, main dans la main.

« Michel et moi, on a eu des carrières complètement différentes par la suite, mais, quand on se rencontre, c'est comme si je retrouvais mon petit frère. Je l'aime autant. »

Très vite, Renée lance un premier album, qui sera sacré disque d'or et dépassera les cent mille exemplaires vendus. Elle prépare aussi son premier spectacle solo… Ça n'arrête pas.

L'effervescence autour d'elle est continuelle. Comme le souligne le journaliste Sylvain Cormier : «Cette période, qui peut apparaître courte dans sa longue carrière à elle, est très intense. Et elle a un hit chaque année, même davantage.»

Ses quarante-cinq tours se vendent en moyenne à cent cinquante mille exemplaires chacun. Ils tournent à la radio. Non seulement elle est devenue l'une des coqueluches de *Jeunesse d'aujourd'hui*, elle fait régulièrement la une des journaux de vedettes.

On la reconnaît à l'épicerie. Elle est poursuivie jusque chez elle pour des autographes, pourchassée par les paparazzis. Elle a un revenu de plus de cent mille dollars par année. Elle nage dans l'argent, qu'elle dilapide sans compter.

La roue tourne vite, très vite. Trop vite.

Chapitre quatorze

La trahison

Elle n'arrive pas à se sortir le beau Jean de la peau.

Jean Malo, chanteur populaire et animateur de télévision.

Elle ne se remet pas de sa séparation avec lui.

Elle était folle de lui, il l'a laissée tomber. C'est la plus grande déception de sa vie à ce jour. Cette rupture, après plus de deux ans d'intensité amoureuse, l'a transformée, brisée.

Elle a connu Jean Malo en 1969, sur le plateau de l'émission *Bonsoir copains*, à Sherbrooke. Elle était son invitée.

À vingt-deux ans, elle était encore fiancée à Léandre, son amour de jeunesse, qui l'avait aidée à déménager à Montréal en 1967, dans sa Hudson 1953. Elle lui avait promis qu'elle reviendrait bientôt pour se marier avec lui, fonder une famille et s'installer dans le quatrième rang de Saint-Cyrille... une fois passée l'excitation autour de *Liverpool*, qu'elle croyait passagère.

Mais tout est arrivé si vite. Sa carrière a fini par prendre le dessus. Le fossé entre Léandre et Renée s'est creusé : il habitait à Drummondville, autant dire à l'autre bout du monde, ils vivaient tous les deux sur deux planètes séparées. Elle a fini par lui dire adieu.

Avec Jean Malo, tout était nouveau, excitant. Ils étaient sur la même longueur d'onde, ils ne vivaient que pour ça tous les deux : le showbiz. Elle était bien plus connue que lui, en réalité, mais elle ne s'en formalisait pas, elle n'en avait même pas conscience – des mauvaises langues lui diraient après coup qu'il l'avait utilisée, qu'il avait profité de sa célébrité à elle pour se faire valoir, pour monter les échelons, devenir lui aussi une vedette montréalaise.

Avec Jean Malo, elle avait découvert l'amour-passion. Les projets de mariage s'étaient vite précisés. Et propagés dans les journaux. Tous les deux prévoyaient fonder une famille… dans quelques années. Renée confiait publiquement qu'elle était prête à abandonner sa carrière quand viendrait le temps d'avoir des enfants.

Puis, il y a eu une fausse couche, en décembre 1970. Elle ne savait même pas qu'elle était enceinte. Il y a eu ensuite un avortement, deux mois plus tard, à New York, où sa mère l'accompagnait. À l'insu de Marcel.

Trop tôt pour être mère, trop dans le feu de l'action, se disait alors Renée. Jean non plus n'était pas disposé à s'engager tout de suite à élever une famille. Leur carrière à tous les deux était un feu roulant, ils étaient jeunes, ils avaient bien le temps.

Quelques semaines après le retour de New York, mauvaise surprise. Un deuxième fœtus avait échappé à la vigilance du médecin lors de l'avortement et était resté pris dans les trompes. Résultat : fausse couche.

C'est dans les mois suivants que tout s'est écroulé. Renée était convaincue que Jean l'aimait, qu'il était le grand amour de sa vie. Même si elle considérait qu'il avait un côté secret, nébuleux, tourmenté. Même si elle ne savait pas toujours sur quel pied danser avec lui.

Chapitre quatorze   La trahison   69

Elle ne s'attendait surtout pas à ce qu'il la laisse tomber. Sans prévenir. Pour renouer avec son ancienne blonde, qu'il avait recommencé à fréquenter en catimini.

Renée ne se doutait de rien quand Jean lui a annoncé que tout était fini entre eux. Elle était allée le rejoindre à Granby la veille. Elle s'apprêtait à partir pour Montréal, pour une séance d'enregistrement de *Jeunesse d'aujourd'hui*. Il était en spectacle à Granby, ce soir-là, elle devait revenir après l'enregistrement de l'émission pour le voir sur scène, puis passer la nuit avec lui. Mais juste avant qu'elle prenne la route pour Montréal, il avait remis le plan de leur soirée en question, il avait louvoyé. Et, sous la pression de Renée qui se montrait insistante, il avait fini par cracher le morceau.

Le choc. C'était impossible. Ça ne se pouvait pas. Il ne pouvait pas retourner avec son ex et la rayer, elle, de sa vie, du jour au lendemain. Ça ne pouvait pas finir comme ça, après plus de deux ans d'amour fou. Ils étaient censés se marier à l'été, non ? L'annonce en avait été faite officiellement dans les journaux à potins, tout était déjà prévu.

Elle a tenté de l'appeler, plusieurs fois, au cours de la soirée. Et le lendemain. Pas de réponse.

Après le choc, la peine. Et la rage, immense. À tel point que, sur un coup de tête, elle s'est coupé les cheveux. Ces longs cheveux blonds qui faisaient partie de son image et que son amoureux affectionnait tant. Coups de ciseaux frénétiques. Elle a coupé, coupé. Elle a mis sa tignasse dorée dans une boîte. Adressée à Jean Malo. Avec un mot : « Tu les aimais tellement, les voilà. »

Quelques mois plus tard, elle a appris, par la voie des journaux à potins, qu'il allait se marier. Avec l'autre.

La honte. La honte publique. Et la descente aux enfers, en privé.

L'alcool comme soupape, comme refuge : c'est là que ça s'installe pour de bon dans sa vie. Elle se défonce aussi à la drogue – marijuana, haschich. Tout en ayant recours aux somnifères, aux tranquillisants. Mais elle s'accroche surtout à la bouteille, sa bouée.

À l'été 1972, lors d'une nouvelle tournée Musicorama à travers la province, une autre Renée apparaît. Colérique, noire, amère. Et rarement à jeun.

Au début de l'année 1972, elle a refait une incursion dans le country, avec un nouveau quarante-cinq tours : *Un amour qui ne veut pas mourir*.

C'est son père qui l'a mise sur la piste.

Un soir, Marcel Martel vient de se produire dans un bar à Val-d'Or, il a rejoint sa femme installée avec des amis autour d'un verre dans la salle, quand l'orchestre maison entame *Never Ending Song of Love*, du groupe américain Delaney & Bonnie.

Marcel est sous le charme, il s'empresse de faire part de son excitation à Noëlla : « Cette chanson-là, c'est pour Renée. »

Quand les musiciens sortent de scène, passé minuit, il s'informe du titre de cette chanson qu'il n'a jamais entendue auparavant, puis il se rue sur le téléphone pour appeler sa fille : « Demain matin, tu vas vite acheter ce disque, tu traduis la chanson et tu l'enregistres. »

« J'étais seule quand je t'ai rencontré/Puis tu m'as tendu la main/Je t'ai suivi sur ton chemin/Je veux rire, je veux enfin vivre/L'amour qui n'veut pas mourir/Et c'est ma raison d'aimer la vie/Depuis le jour où tu m'as souri/J'ai un amour qui ne veut pas mourir. »

Tandis qu'elle traduit, adapte la chanson, se l'approprie, Renée se dit que c'est d'elle qu'il s'agit, d'elle que ça parle. Elle, face au nouvel homme qui est dans sa vie à ce moment-là : Jean-Guy Chapados. L'amour « qui ne veut pas mourir », qui dure, durera, elle veut tellement y croire.

Quelques semaines plus tard, elle téléphone à ses parents : « Vous regarderez *Jeunesse d'aujourd'hui* demain à la télé. »

Elle vient de quitter le plateau de l'émission. Et elle se pose mille et une questions. Elle a eu la surprise, lors de sa prestation en lip-sync, d'entendre un solo de violon au milieu de sa chanson. C'est son producteur, George Lagios, qui avait pris cette décision, à l'insu de Renée : deux jours auparavant, quand elle avait enregistré sur disque *Un amour qui ne veut pas mourir*, il n'en avait pas été question. Elle avait quitté le studio sans avoir entendu le mix final.

Elle craint maintenant que ce solo de violon détonne dans une émission pop, yé-yé, comme *Jeunesse d'aujourd'hui*. Elle se sent mal à l'aise, gênée, elle se dit qu'elle va faire rire d'elle.

« Quand mon mari l'a vue à la télé, se souvient Noëlla, il a tout de suite dit qu'elle allait faire un hit avec cette chanson. »

Le lendemain de la diffusion de l'émission, Renée part pour la Jamaïque, en vacances avec ses parents. Elle demeure perplexe, dubitative. Quelques jours plus tard, son imprésario, Gerry Plamondon, lui téléphone là-bas, plus enthousiaste que jamais : « Renée, c'est le plus grand hit de ta carrière ! »

Deux cent mille exemplaires envolés, en un an seulement. *Un amour qui ne veut pas mourir* deviendra le tube le plus célèbre de Renée Martel. Plus de quatre cent mille exemplaires vendus, au fil des ans. En 2012, *Un amour qui ne veut pas mourir* fera son entrée officielle parmi les classiques de la chanson, au panthéon de la SOCAN, la Société canadienne des auteurs, compositeurs et éditeurs de musique.

«Mon mari a eu du flair», conclut fièrement Noëlla Therrien.

Chapitre seize

L'appel de la mort

À vingt-cinq ans, en pleine gloire, elle décide de larguer les amarres. Elle ingurgite un mélange de Valium et de somnifères.

C'est un vendredi de septembre, en 1972, sept mois après l'enregistrement d'*Un amour qui ne veut pas mourir*. Un vendredi comme les autres, à première vue.

Dans sa vie amoureuse, c'est le chaos. Encore.

Elle vient de rompre avec Jean-Guy Chapados.

Il est son bassiste depuis des années, ils continuent de travailler ensemble. Bientôt, il va prendre ses affaires en main, négocier ses contrats : elle est si peu douée pour ça, elle s'est si souvent fait flouer.

Ils vont recommencer à s'aimer, ils vont même faire un enfant ensemble : Dominique naîtra le 13 avril 1974.

Ils formeront un couple durant cinq ans.

Mais, pour l'instant, leur couple ne va nulle part. Elle n'a pas le cœur à ça, elle n'a le cœur à rien.

Elle n'a plus aucun but, aucune motivation.

Sentiment d'échec sur toute la ligne.

Sa relation bancale avec Jean-Guy Chapados, mais pas seulement. Sa rupture précédente avec Jean Malo. Sa première fausse couche, son avortement, sa deuxième fausse couche. Et plus encore. Le showbiz. Où tout va si vite, trop vite. Le monde du showbiz, cette jungle où elle se sent si souvent perdue.

La première année de son arrivée à Montréal, en 1967, alors qu'elle ne connaissait à peu près personne dans la grande ville, qu'elle se sentait seule au monde, complexée, souffrant de timidité maladive, elle avait été hospitalisée trois fois. Pour des attaques de panique aiguës.

Cinq ans plus tard, elle ne sait plus si le jeu en vaut la chandelle. Elle voit tout en noir, dans l'appartement désert de Jean-Guy Chapados, à Longueuil. Même si elle a repris ses quartiers à Saint-Lambert, elle aime se réfugier chez lui quand il est parti travailler.

Elle erre, toute seule, de la chambre au salon. Elle ressasse sa peine. Tout y passe. Même son enfance, elle l'a dans la gorge. Cette enfance factice auprès de parents artistes. Ces parents-là, qui l'ont abandonnée, à trois ans, dans un orphelinat. Qui l'ont laissée tomber, ensuite, à dix-huit ans, après son viol.

Son père, surtout. Elle en veut à son père, tellement autoritaire, violent. C'est à cause de lui qu'elle a cherché toute sa vie un autre père. Il n'a jamais assuré son rôle de père. Il est le grand responsable de tous ses malheurs, finalement. C'est ce qu'elle se dit.

Elle étale devant elle quarante-huit comprimés de Valium et quarante-huit somnifères. Elle se sert un verre d'eau. Et elle appelle son père, à Drummondville. Le temps ou jamais, non ? Le temps ou jamais de régler ses comptes avec lui.

Demain, il sera trop tard.

Demain, elle sera morte.

Elle engueule son père au téléphone, tout en avalant ses pilules. Sa mère, qui partage la ligne, la supplie de raccrocher. Pas de cellulaire à portée de main, à l'époque. Ils la conjurent tous les deux de raccrocher au plus vite pour pouvoir appeler les secours. Ça urge.

Comateuse, elle met fin à la communication.

Les ambulanciers et les pompiers débarquent au moment où Jean-Guy Chapados revient chez lui, plus tôt que prévu. Paniqué, il accompagne Renée dans l'ambulance. On l'a retrouvée inconsciente, il tente de l'empêcher de sombrer tout à fait.

Lavage d'estomac. Coma. Séjour de trois semaines à l'hôpital.

Elle s'en remettra.

Puis elle recommencera.

L'alcool prendra de plus en plus de place dans sa vie. Jusqu'à prendre toute la place.

Rien ne va plus.

Elle est complètement à bout, démolie, sans le sou.

Que s'est-il passé ?

Elle avait retrouvé le goût du bonheur. Elle avait un homme dans sa vie. Jean-Guy Chapados, son bassiste, son directeur musical, son compositeur, son bienfaiteur, son négociateur. Et le père de son fils. Elle avait Dominique. La naissance de cet enfant en 1974 lui était apparue comme une extraordinaire raison de vivre après ses deux fausses couches et son avortement, après son suicide raté.

Elle avait du succès. Après *Un amour qui ne veut pas mourir*, il y avait eu plusieurs autres quarante-cinq tours. Des albums, aussi. Même si l'un d'eux avait moins bien marché : *Réflexions*, paru en 1974. Le premier où elle interprétait des chansons inédites.

La musique composée par Jean-Guy Chapados et les textes de Marcel Lefebvre, qui avait écrit pour Ginette Reno et signerait les paroles de plusieurs chansons de Jean Lapointe, ne cadraient pas avec son style à elle. Ses fans ne s'y étaient pas retrouvés, la critique avait tiqué : du Renée Martel, ça ?

« Ça fait partie des erreurs professionnelles que j'ai commises, convient-elle. Même si je considère que l'album était de qualité : si je le sortais aujourd'hui, peut-être bien que ça ferait un hit… Mais à l'époque, la musique ne me convenait pas. Les paroles non plus : je chantais la peine d'amour d'un homme de trente-trois ans qui venait de se séparer de sa femme. On a dit que ce n'était pas du Renée Martel et ce n'en était pas non plus. »

Une chanson l'avait en quelque sorte sauvée, l'année suivante : *Cowgirl dorée*. Écrite pour elle par Robert Charlebois, d'après *Rhinestone Cowboy* du chanteur country américain Glen Campbell, c'était ce qu'on appelait à l'époque une « version ».

Or, Renée Martel avait décidé que c'en était assez des « versions », justement. Finies les adaptations de succès anglophones. Elle voulait maintenant interpréter du matériel neuf, original. Elle avait refusé, peu de temps auparavant, d'autres « versions » proposées par Robert Charlebois, croisé de temps en temps sur les plateaux de télé et lors de spectacles collectifs. Il avait entre autres réécrit pour elle *The Story of My Life*, popularisée par le chanteur country américain Marty Robbins. En vain.

Un jour qu'il était en Arizona pour le tournage du film de Sergio Leone *Un génie, deux associés, une cloche*, Robert Charlebois a entendu *Rhinestone Cowboy* à la radio : « J'étais en bagnole, au milieu de cathédrales de roches rouges, dans un décor à la John Ford. Je trouvais cette chanson fantastique. Mais je ne voyais pas comment je pouvais la chanter : ça ne collait absolument pas avec mon style, je n'avais rien d'un cowboy. » Lui est venue alors l'idée de la cowgirl dorée. « J'ai pensé tout de suite à Renée Martel. D'autant plus que son père avait l'image du vrai cowboy… »

Renée a commencé par refuser d'interpréter une énième « version ». Mais Charlebois a insisté. Il s'en félicite aujourd'hui :

« J'ai vraiment personnalisé la chanson pour elle, comme on fait une robe sur mesure. Et Renée Martel est devenue la cowgirl dorée. Elle s'est approprié la chanson, elle en a fait un petit bijou, qui "pogne" encore aujourd'hui. »

« Comme une cowgirl dorée/À cheval au galop dans un rodéo au fleur de lysée/Comme une cowgirl dorée/Inondée de fleurs et de courriers de milliers d'étrangers/Tous les gens du métier à mes pieds. »

Devenue un classique de la musique country au Québec, la chanson *Cowgirl dorée* connaît un succès instantané en 1975. La même année, Renée Martel offre un spectacle à la Place des Arts, une première dans sa carrière. Ce soir-là, Robert Charlebois, accompagné par le cinéaste Sergio Leone, l'attend en coulisse pour la féliciter.

Au cours des années qui suivent, elle enregistre aussi un album à l'américaine purement country, *Renée Martel chante Connie Francis et Brenda Lee*. Et elle fait ses premiers pas dans l'animation télé, aux côtés de Patrick Norman.

Entre-temps, il y a plusieurs tournées. Puis elle collabore sur disque avec d'autres vedettes québécoises, dont Michèle Richard. La blonde et la brune mêlent leurs voix en 1976 sur *Quand va-t-on m'aimer ?*, et entreprennent, la même année, une tournée au Québec, l'une chantant les succès de l'autre, et vice-versa. Elles deviennent amies, elles le resteront toute la vie.

« Elle est comme ma sœur », dira souvent Renée Martel en parlant de Michèle Richard, qui, de son côté, précisera : « On a deux caractères tout à fait différents, mais on se rejoint tellement. On se soutient mutuellement. On se dit tous nos secrets. On se comprend. »

Quand la cowgirl dorée entre en cure de désintoxication, le 11 octobre 1981, à l'âge de trente-quatre ans, elle a eu, dans sa vie personnelle et professionnelle, tout ce dont elle avait toujours rêvé. Et plus encore. Elle a tout perdu. Y compris l'estime d'elle-même. Elle n'a rien vu venir, rien compris. Elle ne comprend même pas qu'elle est devenue alcoolique.

Que s'est-il passé pour qu'elle en arrive là ? Ça lui échappe complètement.

Plus tard, elle aura cette image : *une balloune qui se des-souffle. Une balloune lâchée dans les airs, qui devient folle et tombe par terre, vidée, ratatinée. Inanimée.*

Plus tard, beaucoup plus tard, elle fera le bilan. De son essoufflement, de sa dégringolade. De sa chute.

C'est arrivé petit à petit.

À partir de sa séparation avec Jean Malo, en 1971. Suivie par sa séparation avec Jean-Guy Chapados, en 1976. Puis, par la perte de la garde de son fils, quelque temps après.

Elle était instable. Que des hommes de passage dans sa vie. Elle était souvent en tournée, elle avait des problèmes de gardienne, elle se sentait coupable de laisser derrière elle son enfant. Elle s'inquiétait pour lui. Le père aussi s'alarmait. Jean-Guy Chapados vivait en couple, travaillait comme musicien à la télé de Radio-Canada : il avait une vie stable. Il a demandé la garde de Dominique. Et il l'a obtenue.

Renée a vu rouge. Elle n'a pas pensé au bien-être de l'enfant sur le coup. Elle a pris ça comme un sale coup que Jean-Guy lui faisait à elle : *il m'enlève mon fils, c'est épouvantable, écœurant !*

Rentrer seule, chez elle, quand elle revient de tournée. La maison vide. Sans aucune responsabilité. Rester seule, chez elle, entre deux tournées.

C'est trop pour elle.

Depuis sa rupture dévastatrice avec Jean Malo, il lui arrivait de prendre des cuites monumentales, de perdre la carte. S'engourdir dans l'alcool devient désormais sa façon d'être.

Boire : sa vie se résume maintenant à cela.

Boire, dès que la noirceur tombe sur sa solitude. Boire et boire encore, toute seule chez elle. Se soûler dans les bars, aussi. Avec n'importe qui. Des ivrognes, des durs, des gens louches, toutes sortes de personnes qu'elle n'aurait jamais fréquentées autrement. Boire, jusqu'au *blackout*.

Ne plus se souvenir de rien le lendemain matin. Et recommencer le soir. Se demander, même des années plus tard, si quelqu'un ne va pas dévoiler sur la place publique la face cachée de Renée Martel et sortir ses squelettes du placard. La honte.

Boire, jusqu'à négliger son fils. L'oublier dans un coin, quand il vient lui rendre visite et parfois dormir à l'appartement. Oublier les parties de hockey du petit. Lui faire des promesses non tenues. Multiplier les crises devant lui. Perdre de vue son rôle de mère. Et vivre avec la culpabilité, ensuite, pendant des années et des années.

Ce sentiment d'avoir manqué son coup comme mère. Ce besoin de demander pardon à son garçon devenu adulte. En arriver à se dire qu'heureusement le pardon existe.

Boire, mais continuer de travailler. Animer des défilés de mode. Partir en tournée en Ontario avec ses parents. Participer à la tournée québécoise *La Grande Rétro* de 1981, axée sur des chansons des années 1950 et 1960, avec Johnny Farago, René Simard, Les Classels et d'autres.

Continuer de travailler, malgré l'épuisement. Et continuer de flamber son argent, au fur et à mesure. Jusqu'à la faillite.

Pour tenir le coup, prendre des pilules. Des pilules le matin pour se donner du courage, de l'énergie. Des pilules le soir pour parvenir à s'endormir. De plus en plus de pilules. Et de vodka.

Un soir, en visite chez ses parents, elle vide leur réserve d'alcool au sous-sol. Sa mère la retrouve ivre morte par terre.

Le lendemain, Renée entre à l'hôpital de Drummondville. Cure de sommeil. Pour deux semaines. Mais un ami lui refile en douce de l'alcool. Et elle continue de prendre ses pilules.

Quand vient le temps de partir en tournée en Abitibi, à l'été 1981, elle dit à ses agents, René Angélil et Marc Verreault, qu'elle préfère tout annuler, qu'elle ne se sent pas la force d'y aller. Mais les imprésarios insistent. Alors elle part, elle y va. Et elle s'enivre continuellement, se montre agressive. Un soir, elle s'égare sur un chemin de terre. Un policier la retrouve, hagarde, couverte de boue. Ses musiciens, qui la ramènent à Montréal, en ont plein le dos de son cirque, de ses affres, de ses égarements, de ses crises.

Au retour d'Abitibi, elle décide d'arrêter les pilules. Elle n'en peut plus, elle tremble de tout son corps, du matin au soir. Elle croit qu'elle va en mourir. Elle jette tout. Elle raye les pilules de sa vie, sans sevrage. Mais elle continue à engloutir de la vodka.

Elle se sent faible. Son système immunitaire est à plat. Mononucléose. Elle doit annuler des spectacles. De plus en plus souvent. Et quand elle ne le fait pas, elle se présente ivre sur scène.

Le téléphone ne sonne presque plus, elle reçoit de moins en moins d'offres d'engagement. Le producteur Guy Cloutier, qui lui a fait enregistrer son premier quarante-cinq tours solo à seize ans, est un des seuls qui continue de la faire travailler. Le bruit se répand dans le milieu : ou bien Renée Martel est soûle, ou bien elle ne se présente pas.

Ses imprésarios l'ont abandonnée. Ses amis, sauf quelques alliés fidèles, dont Michèle Richard et Claudette Gaboury, se font de plus en plus rares. Même la famille a pris ses distances. Elle est plus seule que jamais.

La solitude : sa bête noire. Sa grande ennemie. Ce sera comme ça toute sa vie. Même dans les moments de gloire.

Elle a peine à se lever de son lit. Sauf pour se servir de la vodka. Elle ne parvient plus à prendre soin de ses chats, à les nourrir. Heureusement, la concierge de l'immeuble passe de temps en temps, pour assurer le minimum.

Elle ne mange plus, elle ne se lave plus. Elle ne fait que ça : boire.

Elle ne peut pas se rendre plus bas.

Elle téléphone à son père : « Fais quelque chose, sinon je vais mourir. »

Marcel appelle un ami de Renée, un des rares qui lui reste, pour qu'il la conduise dans une maison de thérapie, à Ivry-sur-le-Lac, dans les Laurentides. Elle ne dit pas oui, ne dit pas non. Elle ne sait pas où elle s'en va, elle n'a aucune idée de ce qui l'attend.

Elle ne pose pas de questions. Son père lui a dit qu'elle irait mieux, elle le croit.

C'est le lendemain de son arrivée qu'elle comprend. Quand le psychothérapeute commence à expliquer le comportement d'un alcoolique. Quand il passe en revue tout le processus, qu'il démonte la mécanique par laquelle elle-même est passée pour en arriver là.

À trente-quatre ans, elle comprend qu'elle est alcoolique. Et que c'est une maladie. Incurable.

Elle pleure pendant quarante-huit heures.

Gaspésie

~

« À partir de maintenant, tu es ma femme, je suis ton mari. »

C'était il y a deux ans. Le 17 juillet 2008. Bruno n'est plus là maintenant. Bruno est mort. Leur conte de fées, elle se le raconte toute seule, nuit et jour.

La nuit, elle se recroqueville sur le sofa du salon. Pas question de s'allonger sur le lit. Leur lit.

Le jour, elle n'en finit plus de regarder des photos de lui. Il y en a partout dans son appartement, à Saint-Hyacinthe. Dans le salon, la chambre, la cuisine, le bureau…

Comme si ce n'était pas assez, tout un pan du couloir de l'appartement est tapissé de photos de lui. C'est le *couloir Bruno*. Où figure entre autres la photographie qu'elle a prise de lui avec un cornet de crème glacée à la main, au pied du rocher Percé, le 17 juillet 2008.

Bruno si beau, si costaud. Si jeune. Amoureux fou, intense, fougueux. *Le salaud*. Il s'est suicidé. Il s'est pendu. Au pied d'un arbre, à Granby.

Bruno l'a abandonnée. Deux mois à peine après leur mariage symbolique, secret, au pied du rocher Percé.

« Deux ans aujourd'hui. » Elle l'a dit, répété. Ce midi, sur la terrasse du Café des Artistes bardassée par le vent du large, au centre de Gaspé. Il y a une minute à peine, dans sa loge improvisée, sous la bâche.

Hier, déjà, dans l'auto, en route vers Gaspé. Puis, lors de la halte pour le lunch, à La Cage aux Sports de Rimouski. Comme un mantra, une litanie infinie : « Deux ans demain… »

Hier, quand sa marraine au sein du groupe de soutien pour alcooliques, en vacances dans le coin, est venue l'embrasser et lui offrir un ange porte-bonheur, Renée s'est blottie dans ses bras, petite âme désarticulée.

Chemin faisant, elle a prié Jean-Guy, son chauffeur, son garde du corps, son directeur de tournée, son homme à tout faire, son chevalier servant, celui qui l'appelle « ma diva » en public mais qui la qualifie de « petite princesse » en privé, de ne pas passer, surtout pas, devant le rocher Percé. Ses nerfs ne tiendraient pas.

Seule. Elle se sent tellement seule, ce soir, dans cette loge improvisée, sous la bâche, à Gaspé. Elle chancelle, se désespère.

Elle ne sait plus après quoi, après qui s'accrocher, à quel saint se vouer. Elle se balance dans le vide. Le vide de sa vie. À soixante-trois ans.

Mais la star… la star est là, qui attend, qui l'appelle. Là, dans le miroir en face d'elle. La star sans âge, lumineuse. Elle a pris forme, peu à peu, elle a émergé, au fil des heures, dans cette loge improvisée, sous la bâche. Elle brille de tous ses feux, elle en veut.

Il y a la star, il y a la femme, face à face. Dans un temps suspendu.

Il y a la lutte entre les deux. Qui va gagner ?

Entre la star et la femme, qui va prendre le dessus ?

Quand elle quitte la maison de thérapie d'Ivry-sur-le-Lac, le 26 octobre 1981, elle est déterminée à chasser l'alcool de sa vie à jamais. Mais elle se sent fragile, angoissée. Démolie.

Sa carrière est foutue. C'est ce qu'elle se dit, ce que tout le monde se dit dans le milieu. Qui pourrait encore lui faire confiance ? Elle n'a plus de contrats depuis longtemps. Elle n'a même plus d'agents : René Angélil et Marc Verreault ont convenu avec elle qu'il valait mieux mettre un terme à leur association.

Dans ses belles années, on se l'arrachait. Dans ses belles années, elle empochait jusqu'à deux cent mille dollars en revenu et s'offrait tout ce qu'elle voulait : autos sport, vêtements de luxe, meubles anciens, grands appartements somptueux…

À la même époque, dans les années 1970, combien de femmes pouvaient en dire autant au Québec ? Combien de chanteuses ? Combien de vedettes ?

Elle était riche et adulée. Elle était épanouie, indépendante. Elle était un modèle. Maintenant, elle rase les murs.

Elle en est réduite à se nourrir de beurre de pinottes et à rouler sa petite monnaie pour l'échanger à la banque contre quelques billets. Elle doit faire appel à sa mère pour qu'elle lui envoie vingt dollars de temps en temps.

Renée Martel n'existe plus, elle a disparu. À cause d'une bouteille.

Comment renaître de ses cendres ?

Elle parvient à convaincre René Angélil et Marc Verreault de miser à nouveau sur elle. Ils lui décrochent un contrat pour l'émission *Balconville*, à la radio privée CJMS : des artistes populaires du Québec se rendent chanter sur les balcons d'auditeurs de la station.

Balconville organise aussi une spéciale plage, à Miami. Elle est de la partie, aux côtés de Michèle Richard, Robert Charlebois, Jacques Salvail et plusieurs autres.

C'est un premier pas. Mais c'est loin d'être suffisant. Elle dit à ses agents qu'elle est prête à tout, qu'elle ne refusera aucun engagement.

Ce sont bientôt les bars glauques du Québec, en région. Un soir, à La Malbaie, elle donne un spectacle dont la première partie est assurée par un danseur nu. Un autre soir, aux Îles-de-la-Madeleine, elle chante devant un public de trois personnes.

La déchéance totale.

Elle décide de cesser de « faire du club ». Ses dettes s'accumulent, à coups de dizaines de milliers de dollars. Ce sont ses agents qui paient son loyer, le plus souvent.

Entre-temps, elle a recommencé à boire.

En juin 1982, elle retourne en thérapie. Mais, rien à faire, elle retombe.

Entre deux appels de la bouteille, cet été-là, elle commence néanmoins à travailler, avec le producteur André Di Cesare des Disques Star, sur un projet d'album qui deviendra *C'est mon histoire* et connaîtra un grand succès : plus de cinquante mille exemplaires vendus.

« Enfant déjà, je chantais pour les gens de chez moi/C'était mon plaisir et ma vie, je ne pensais qu'à ça/Et je me demande aujourd'hui, quand je chante, si je n'ai pas rêvé/Quand je suis là et quand je vois le rideau sur vous se lever » : la chanson-titre est une adaptation de *Nickels and Dimes*, popularisée par Dolly Parton.

Figure aussi sur l'album *Nous on aime la musique country*, interprétée par Renée et ses parents. Cette chanson deviendra une sorte d'hymne du western au Québec.

Renée est en studio d'enregistrement en décembre 1982. L'automne suivant, au gala de l'ADISQ, *C'est mon histoire* récolte le Félix de l'album country de l'année. Elle a du mal à y croire, elle a bel et bien l'impression de renaître de ses cendres.

Trente ans plus tard, elle s'en étonne encore : « Le vrai recommencement de ma carrière, je le dois à *C'est mon histoire*. Et si je suis encore là aujourd'hui comme chanteuse, c'est grâce à cet album. C'est parce qu'André Di Cesare m'a donné ma chance, qu'il croyait encore en moi malgré tout. »

En 1983, non seulement la chanteuse, mais la femme connaît une renaissance. Renée redevient Renée Martel non seulement pour ses fans : pour elle-même. Elle a cessé de boire. Pour de bon cette fois, elle en est persuadée.

Et ça durera. Pendant seize ans.

Elle n'aura pas soif. Pas une seule fois.

Elle en viendra à faire ce constat : « La pire chose que j'aurais pu faire à l'époque, mais je ne serais pas là pour en parler aujourd'hui, c'est de continuer à boire. »

Ne plus boire lui fait voir les choses autrement. Ne plus boire l'amène à se voir autrement. C'est tout un travail sur elle-même qui s'ensuit, nécessairement.

À jeun, elle se découvre plus calme. Mieux organisée dans sa carrière.

Elle n'est plus « sur le fly », comme elle dit. Elle n'est plus étourdie, essoufflée. Avec cette impression de ne plus se comprendre, de ne plus rien comprendre à rien.

Désormais, c'est sa vie au complet qui va changer.

Elle a réglé le problème numéro un, elle va régler les autres un à un. Elle va rembourser ses dettes. Elle va récupérer la garde de son fils.

Et elle va se marier, refonder une famille.

Elle est déjà amoureuse.

L'amour, elle n'y croyait plus. Elle avait fait un trait là-dessus. Mais, un jour de décembre 1981, ça lui est tombé dessus : coup de foudre inespéré, inattendu. Et salutaire.

Ce jour-là, dans la loge qu'elle partage avec les artistes de la tournée *Balconville* à Miami, on lui présente Georges Lebel, haut dirigeant de la station de radio CJMS. Quand il lui tend la main, elle perd ses moyens.

Elle rougit, elle bafouille. Elle se sent idiote. Une Renée de quatorze ans agit à sa place, la remplace. Le cœur veut lui sortir de la poitrine. Jamais ressenti cela auparavant. Pas à ce point-là, pas comme ça. Cette attirance instantanée, ce ravissement fulgurant.

Depuis le temps que son amie Michèle Richard tente de lui trouver un homme à la hauteur. Renée se montre toujours revêche, intraitable. Trop de souvenirs douloureux. Trop fragile, fragilisée par sa dépendance à l'alcool.

Deux mois qu'elle a cessé de boire, deux mois qu'elle est sortie de sa première thérapie. Lutter pour garder la tête hors de l'eau lui prend toute son énergie. Quand elle apprend, le soir au souper, que Georges Lebel est marié, père de deux enfants de cinq et sept ans, elle est interloquée. Elle ne veut surtout pas montrer sa déception devant lui. Sur le coup, elle commande une vodka. Suivie d'une autre. Rechute de cinq mois.

Une fois rentrée au Québec après la tournée floridienne, pas de nouvelles de lui. Et il n'est pas question qu'elle le relance. Ils se perdent de vue. Pendant plus d'un an.

À l'été 1983, elle est en spectacle à Québec avec ses parents pour *C'est mon histoire*. Georges Lebel, qui vit à Québec, aperçoit sa photo dans un journal faisant mention du show. Il lui téléphone.

Il ne l'a pas oubliée, elle l'a encore dans la peau.

Ils se revoient.

Elle a fait sa deuxième thérapie, elle n'a pas pris une goutte d'alcool depuis cinq mois. Il lui dit qu'il est séparé de sa femme. Même s'il partage encore la maison avec elle et les enfants. Pour l'instant.

Elle succombe. Tout en demeurant sur ses gardes. Elle a peur. Peur de ce qu'elle ressent pour lui. Peur de perdre son autonomie, sa liberté. Et sa tranquillité d'esprit, sa sérénité, retrouvées avec la sobriété.

Tout est si compliqué dans sa vie à lui. Comment lui faire confiance ?

Ils tergiversent. Un pas en avant, un pas en arrière. De sa part à elle, de sa part à lui. Ils s'aiment, c'est évident. Mais…

Ils tergiversent encore.

Elle retire ses billes.

Et puis, surprise : le 13 janvier 1984, jour du premier anniversaire de la sobriété de Renée, Georges va la rejoindre à

Miami, où elle a passé le temps des Fêtes entre amis. Ils partent en escapade amoureuse jusqu'à Key West en décapotable. Puis, voyage en Europe.

Fin de la valse-hésitation.

La vie comme dans un grand roman d'amour. Incroyable mais vrai. Ça lui arrive. À trente-six ans.

Deux années intenses commencent. Deux années, 1984 et 1985, qui resteront pour elle parmi les plus belles de sa vie. Aucun nuage à l'horizon. Elle flotte, elle irradie.

Georges quitte Québec pour emménager avec elle à Saint-Lambert. Ils auront bientôt le coup de foudre pour une grande maison bordée d'un terrain immense à Greenfield Park. Ils l'achèteront, en vue de la rénover. Renée pourra mettre à profit ses talents de décoratrice.

Non seulement l'amoureuse, mais la chanteuse est comblée. Son spectacle country, en février 1984 à la Place des Arts, où elle chante avec ses parents, attire des journalistes culturels qui, jusque-là, ne s'intéressaient pas à sa carrière. Jusque-là, elle se sentait boudée, snobée par une certaine élite. À cause de son style, de ses racines country, trop souvent associés à la sous-culture, aux clubs cheaps, à la quétainerie.

Renée Martel touche un public de plus en plus diversifié. D'autres portes s'ouvrent pour elle sur le plan professionnel. C'est la manne, à tous points de vue. Elle anime une émission à la radio privée CKVL. Elle enregistre avec Patrick Norman un duo qui fera un tabac : *Nous*. Et elle lance son album *Cadeau*, qui lui vaut, en 1985, un deuxième Félix au gala de l'ADISQ : meilleur album country de l'année.

Ne manque qu'une chose à son bonheur, pour l'instant.

Elle a cessé de boire depuis plus de trois ans, elle se sent forte, se sent prête. Georges l'entoure, il l'épaule. C'est au début de l'année 1986 qu'elle le fait enfin, qu'elle passe à l'action : elle demande la garde complète de son fils.

Le jour J arrive en mars. Elle va chercher Dominique, onze ans, bientôt douze, chez son père à L'Île-des-Sœurs, pour le ramener chez elle à Saint-Lambert. Au moment de repartir avec son fils, alors qu'elle démarre la voiture, elle s'entend chanter à la radio la chanson-titre de son album *Cadeau* : dialogue touchant entre une mère et son fils, éloge de la maternité vécue comme un cadeau... Ça colle parfaitement à cette nouvelle vie qu'elle entreprend, pleine d'optimisme, avec son enfant.

Dominique revient enfin dans son quotidien. Elle attendait ce moment depuis si longtemps. Depuis plus de neuf ans.

Mais comment rattraper le temps perdu ? Comment amadouer ce fils devenu plus ou moins un étranger ? Comment combler le décalage entre eux ?

Elle réapprend à être mère. Et elle se sent bien souvent dépassée.

Être présente pour lui. Passer le plus de temps possible en sa compagnie. Être à l'écoute, être disponible. C'est ce qu'elle doit faire, elle le sent. Difficile à concilier avec la carrière qu'elle mène, cependant.

En juillet 1986, elle décide de cesser les tournées, de dire adieu à la scène. Sur un coup de tête.

Ce soir-là, elle donne un spectacle en Beauce. Un engagement pris longtemps auparavant. Encore un bar glauque. Elle s'était pourtant promis de ne plus se retrouver dans cette situation. Mais les occasions de présenter des spectacles à grand déploiement dans les salles d'envergure ne sont pas si courantes au Québec.

Ce soir-là, tandis qu'elle monte sur scène à l'aide de caisses de bières empilées n'importe comment, qui tiennent lieu de marches, elle prend sa décision : ce sera son dernier spectacle. Elle l'annonce après deux chansons.

Son agent, André Di Cesare, tombe des nues. Son directeur musical, Serge Langlois, aussi. Toute son équipe est estomaquée. Elle n'en a parlé à personne auparavant.

À l'entracte, son agent la semonce, hors de ses gonds.

— Coudon, es-tu folle ? As-tu rechuté ? C'est quoi, ça ?

Rien à voir avec l'alcool, lui dit-elle.

— C'est mon dernier show, André, c'est fini.

Sa vie va se transformer du tout au tout.

Après les belles années, celles de 1984 et 1985, parmi les plus belles de sa vie, à tous points de vue : les années du désastre. Celles de 1986 et 1987.

Non seulement Renée Martel ne monte plus sur scène, mais elle ne fait plus de disques. Plus le temps, en fait. À trente-neuf ans, elle se retrouve, du jour au lendemain, mère de famille à temps plein. De trois préadolescents.

L'ex-femme de Georges, la mère de ses enfants, est morte subitement. Après une période d'effarement, de tiraillements, d'ajustements, la grande maison de Greenfield Park, qu'il a fallu rebâtir de fond en comble en catastrophe pour la rendre habitable par une famille de cinq, accueille Mathieu, dix ans, et Catherine, douze ans.

L'adaptation ne se fait pas sans heurts au sein de la nouvelle tribu. C'est peu dire.

D'un côté, un fils révolté, privé de sa mère trop longtemps, qui vient à peine de la récupérer et souhaiterait la garder pour lui seul. De l'autre, deux enfants en miettes, qui ont vécu un choc émotif terrible à la mort de leur maman et n'ont rien à faire d'une mère de remplacement.

Tandis que Georges s'échine comme pourvoyeur, Renée, femme au foyer, doit composer au quotidien avec un trio disparate d'enfants malheureux à qui on a imposé une famille reconstituée. Trois jeunes qu'elle connaît si peu, finalement.

Elle navigue comme elle peut, mais le bateau prend l'eau, de plus en plus. Tellement de brèches à colmater. Par où, par quoi commencer? Comment satisfaire tout un chacun? Comment arriver à trouver les bons mots, à répartir son affection équitablement, tout en assoyant son autorité?

Comment prendre, chaque fois, dans chaque cas, quelles que soient les tensions, les frictions, non pas la meilleure, mais la moins mauvaise des décisions? Quelqu'un se trouvera lésé, de toute façon.

Elle ne se sent pas à la hauteur. Elle se sent jugée par les enfants. Elle s'épuise.

On lui a pris sa vie et on l'a fait éclater en morceaux. Sans prévenir. Une exilée, un otage. Une noyée. C'est comme ça qu'elle se sent. Lorsque quelqu'un d'autre respire dans cette grande maison, elle manque d'air. Littéralement.

Elle suffoque.

Ça ne va pas bien, pas bien du tout, quand, en juin 1987, quelques semaines avant son quarantième anniversaire, elle découvre qu'elle est enceinte.

Stupeur. Puis, affolement.

Et joie.

C'est la joie qui l'emporte, finalement. Sur l'inquiétude de donner naissance tardivement. Et sur le chaos qui règne à la maison.

Mieux : si cet enfant surprise faisait partie de la solution ? Si ce bébé à naître devenait le trait d'union entre les membres de la tribu ?

L'occasion, peut-être, de former une vraie famille, enfin. L'occasion de souder le couple, aussi. De l'officialiser. De l'installer dans la longévité. Et de combattre, par le fait même, ce sentiment d'insécurité, cette peur de l'abandon qui affligent Dominique, Catherine et Mathieu, chacun à sa façon.

Après sa rupture avec Jean Malo, qu'elle devait épouser, Renée s'était pourtant promis de ne jamais se marier. Jean-Guy Chapados l'avait appris à ses dépens : chaque fois qu'il avait tenté le coup de la demande en mariage, elle l'avait éconduit.

À quarante ans, elle fait le grand saut.

Le mariage, fortement médiatisé, a lieu à Saint-Lambert le 15 août 1987. Une fête privée se tient le soir même dans la grande maison des Laurentides de l'amie Michèle Richard.

Laurence naît le 29 décembre suivant.

Entre-temps, Georges annonce à Renée qu'ils vont devoir déménager. *Encore ? Déjà ? Mais pourquoi, pour aller où ?*

Vice-président d'une grande firme de communication, Georges est chargé d'implanter une chaîne de télévision privée… au Maroc.

Le Maroc ? Elle ne connaît rien à ce pays.

Le Maroc, avec quatre enfants, dont un bébé ?

Les trois grands fréquentent déjà le pensionnat ; les sortir de là ?

Georges et Renée conviennent qu'il serait plus simple d'aller d'abord s'installer tous les deux avec le bébé au Maroc, et de faire venir les enfants par la suite. Mais Dominique, Mathieu et

Catherine rechignent. Ils convoquent un meeting avec Renée. «Georges et toi, vous ne voulez plus de nous, vous voulez juste votre nouvelle famille!» plaident-ils, la mine basse, renfrognés. L'argument fesse. Renée est touchée au cœur: «OK, on déménage tout le monde ensemble.»

Pourquoi pas?

Chapitre vingt-trois

Le Maroc

À la fin de l'été 1988, la famille au complet s'installe à Casablanca, dans une grande villa mauresque de deux étages longeant la mer, avec chauffeur, gardien, bonnes à tout faire et nounou. Pendant plus de deux ans, Renée Martel sera pour tout le monde, là-bas, madame Lebel, mère de quatre enfants.

Chanter? Faire de la scène? Ça ne lui manque absolument pas. Elle n'y pense même pas. Ou si peu… Quand ça lui arrive, c'est par bouffées. C'est comme un courant d'air. Elle referme vite la porte, c'est déjà passé.

L'impression de mener une vie de châtelaine.

De sa terrasse, elle profite du décor féérique au maximum, elle s'émerveille des couleurs changeantes du ciel: *on dirait une peinture*. La température est presque toujours idéale. Soleil, temps sec. Sauf au milieu de l'été, pendant une dizaine de jours. Chaleur intense, vents brûlants, qui imposent la fermeture des volets et restreignent les déplacements à l'extérieur.

Madame Lebel prend un plaisir fou à ne pas être reconnue dans la foule. Elle arpente les marchés locaux, les souks, en compagnie de Laurence et de sa nounou, Naïma, pour s'approvisionner en nourriture tout en découvrant les mœurs du pays. Le machisme ambiant la fait quelquefois sourciller, mais, dans l'ensemble, elle se sent bien au milieu du peuple marocain.

Parmi les domestiques de la maison, il y a la mère et une sœur de Naïma. Renée se réjouit quand l'autre sœur, la tante ou la cousine s'amènent avec leurs bébés, leurs enfants. C'est ce monde-là qu'elle veut connaître. Pas celui des expatriés, pas celui de la grande richesse, des femmes diamantées en tailleur Chanel qui prennent le thé l'après-midi en babillant à propos de n'importe quoi : tout ce qu'elle déteste.

À la maison, elle s'installe la plupart du temps dans l'immense cuisine, où elle a aménagé un espace de jeu pour Laurence, à côté d'une grosse chaise berçante. Elle passe des heures à bercer sa fille, dans l'entrechoquement des casseroles, au milieu des joyeux échanges en arabe, qui lui échappent.

Au début, Naïma et les autres s'étonnent de voir la maîtresse de maison prendre ses aises dans cette pièce d'ordinaire réservée aux domestiques. Mais Renée leur explique qu'au Québec la cuisine est le lieu de rassemblement. Elle en vient à former avec eux ce qui ressemble pour elle à une famille.

Elle vit là des moments lumineux de sa vie. Comme une pause pour l'âme, un baume. Elle sait bien que c'est temporaire. Et exceptionnel. Pourra-t-elle seulement vivre une expérience du genre une deuxième fois dans sa vie ?

Tellement de choses à découvrir dans ce nouveau pays. Et tout autour. Elle parcourt le Maroc avec Georges, elle voyage avec lui en Europe, en Afrique... Elle se déleste, se délecte. Elle resplendit.

Tout ne va pas de soi pour autant au quotidien, à Casablanca. Chacun a ses frustrations, ses besoins, ses aspirations au sein de la tribu Lebel-Martel. Mathieu et Catherine finissent par retourner au Québec, où ils peuvent compter sur la famille élargie, soi-disant pour parfaire leur scolarité en français : la seule école à proximité de la maison qu'on a trouvée pour eux à Casablanca est américaine. Dominique, qui montre une facilité pour le bilinguisme, poursuit un temps ses études au Maroc, en anglais. Puis, il rejoint son père au Québec. Mais les relations s'enveniment entre eux, il opte pour Casablanca à nouveau.

Malgré les jeux de chaises, le brouhaha, l'été se passe en famille : ils se retrouvent tous ensemble au Maroc. La petite Laurence est aux anges. Elle a son papa, sa maman. Elle a ses deux grands frères, sa grande sœur, dont elle ne soupçonne même pas qu'ils proviennent de familles différentes. Et elle a sa nounou affectueuse, Naïma, qui la vêt à la marocaine, lui apprend la langue du pays et, maîtrisant tout à fait la langue de Molière, lui refile un accent français que la petite gardera des années après son retour au Québec.

Quand Georges rentre du travail en fin de journée, qu'il s'assoit dans son fauteuil pour savourer son gin tonic quotidien, Laurence s'empresse de lui faire part des nouveaux mots qu'elle a appris, en arabe ou en français. Un jour, elle constate que son papa n'a pas de citron dans sa boisson, comme il se doit : il n'y en a plus dans la maison. Elle se rue dehors, et elle cueille dans l'unique citronnier adjacent à la propriété l'unique citron qui a poussé depuis leur arrivée, celui que personne n'ose toucher. Puis, revenant triomphante dans la maison avec le précieux fruit, elle lance de sa voix aiguë, petit accent français à l'appui : « Tiens, Papa, pour ton gin tonic. »

Avec le recul des années, Renée en viendra à se dire que c'est sa fille qui était la plus heureuse, finalement, au sein de cette famille : Laurence n'avait conscience de rien, elle était aimée, entourée. Et la vie au Maroc, pour elle, ressemblait à un conte de fées.

Mais quelques semaines avant la fin du contrat de Georges, alors que son employeur lui offrait justement de prolonger leur séjour : départ précipité. Le climat dans le pays a changé. La guerre du Golfe se prépare. Il y a des émeutes à Fès, à Casablanca.

Près de la villa des Lebel-Martel, aux coins des rues, un peu partout, des cars remplis de soldats armés sont postés, jour et nuit, prêts à intervenir.

L'ambassadeur du Canada sur place conseille à Georges et sa famille de quitter le pays au plus tôt. Naïma, qui souhaite tant émigrer, ira habiter avec eux. Ils la garderont sept ans à leur service, le temps que Laurence ne nécessite plus de soins quotidiens et que les trois plus grands aient délaissé le foyer familial. Renée trouvera ensuite une place pour Naïma dans une autre famille québécoise.

La présence de la nounou marocaine auprès de Laurence aura permis à l'enfant, dans les premières années suivant le retour au Québec, de faire le passage entre son pays de contes de fées et le pays de ses racines. Jusqu'à un certain point… Car la petite ne cessera de demander, pendant longtemps, quand elle pourra retourner chez elle.

Assise dans la balançoire avec sa mère, dans la cour de la maison de Greenfield Park, elle répétera la même inlassable rengaine avec son petit accent français : « Tu sais, Maman, je "m'aime" pas cette maison, c'est pas ma maison. » Les yeux levés vers le ciel, Laurence criera le nom des gens qu'elle a connus là-bas. Celui du chauffeur, du gardien, des autres domestiques. Et de certains voisins. Elle criera, aussi fort qu'elle le pourra. « Pourquoi tu cries si fort ? » lui demandera sa mère. « Si je crie fort, ils vont m'entendre là-bas », se persuadera l'enfant.

Laurence mettra plus d'une année avant de se faire à l'idée que le conte de fées marocain est terminé. Sa mère, de son côté, sera habitée par les paysages, les couleurs, les odeurs et les visages qui lui auront permis de retrouver une paix intérieure.

Quand la petite monte dans l'avion avec les siens pour partir du Maroc, quelques jours avant son troisième anniversaire, elle est loin de se douter que, dans une autre vie, sa maman était une star de la chanson au Québec. Elle l'apprendra peu après le grand retour.

Quand madame Lebel sera redevenue Renée Martel.

On ne l'a pas oubliée.

La nouvelle circule : Renée Martel est rentrée. On veut savoir ce qu'elle est devenue, ce qu'elle compte faire maintenant.

Dans sa tête à elle, c'est le trou noir, côté carrière. C'est si loin derrière, tout ça. Elle ne voit rien devant, elle est dans l'instant présent.

Mais, c'est dans l'air du temps, un retour aux sources s'opère en douce au Québec, qui coïncide avec le retour de Renée Martel sur ses terres.

Après plus de deux années passées au Maroc, elle s'amuse de découvrir qu'une nouvelle génération d'artistes québécois commence à s'approprier le style country-western, en le saupoudrant de pop, de folk ou de rock. Elle s'étonnera bientôt de voir le style cowboy, il n'y a pas si longtemps ridiculisé, jugé dépassé, vu comme campagnard, devenir une mode. Une mode artistique, vestimentaire. Urbaine. Même la star internationale Madonna finira par s'y frotter.

Renée ne le sait pas encore, mais un appel téléphonique reçu du temps où elle vivait au Maroc va provoquer un effet boule de neige dans sa carrière. La réalisatrice et conceptrice québécoise Carmel Dumas lui a proposé de participer au documentaire en plusieurs volets qu'elle préparait pour la télévision publique canadienne, *Quand la chanson dit bonjour au country*. Le tournage se terminerait avec un spectacle hommage à trois pionniers du western au Québec : Willie Lamothe, Paul Brunelle et... Marcel Martel.

Avant de s'amener au micro pour cette *grande fête country*, six mois après son retour du Maroc, un trac fou s'empare d'elle. Un trac décuplé par sa longue absence de la scène. Saura-t-elle encore y faire ?

Après son adieu improvisé au monde du spectacle en juillet 1986 dans un bar glauque de la Beauce, elle n'est remontée sur les planches qu'une seule fois. Moins de deux ans plus tard. Pour un spectacle hommage à *Jeunesse d'aujourd'hui*, présenté à la Place des Arts.

C'est son amie Michèle Richard qui l'avait convaincue de participer à cet événement collectif, rassemblant autour d'elle, entre autres artistes, Les Classels, Jenny Rock, Pierre Lalonde et Joël Denis. Renée avait commencé par dire non. Elle avait un bébé de sept mois à la maison, elle souffrait d'anémie, elle se remettait difficilement d'une infection aux reins qui aurait pu lui être fatale. Et elle se sentait rouillée vocalement.

Mais l'interprète de *Liverpool* et de *Je vais à Londres* ne pouvait pas manquer ces grandes retrouvailles du yé-yé et de la pop, n'est-ce pas ? Elle avait cédé... et ne l'avait pas regretté : ça lui avait fait un bien fou de remonter sur scène, de revêtir ses toilettes élégantes, de se sentir belle, d'entendre les applaudissements de la foule. Une petite graine semée au vent, un germe latent.

La magie opère encore une fois le 8 juin 1991, pour l'hommage aux pionniers. La magie est totale, ce soir-là.

La réalisatrice Carmel Dumas se souvient d'une Renée Martel resplendissante, incandescente : « Elle était tellement belle. Et tellement élégante. Je la revois, dans son tailleur en daim de couleur aqua, avec ses longs cheveux blonds. Et je l'entends encore dire: "C'est avec beaucoup d'émotion que je remonte sur la scène…"»

Elle a ça dans les gènes, dans la peau, rien à faire. Toujours aussi fort en elle, ce goût de la scène, du public, de la chanson.

Ce pincement délectable qu'elle ressent. Ce fourmillement, cette vibration, jusqu'au vertige. Cet oubli de soi qui se produit, en même temps que ce sentiment d'exister pleinement, intensément.

Ça lui manquait, oui. Même si elle ne voulait pas, elle n'osait pas se l'avouer. Même si elle affirmait le contraire à tout le monde. À son mari, pour commencer.

Georges s'accommodait très bien de ne plus la voir chanter, partir en tournée. Il la préférait loin des projecteurs et du vedettariat. Il recherchait davantage la femme au foyer que la chanteuse. Et puis il n'avait jamais été vraiment friand de musique country.

Désormais, son monde à elle va s'imposer à nouveau dans leur mode de vie. Renée Martel ne le sait pas encore, elle ne pourrait pas formuler ce qui se joue pour elle ce soir du 8 juin 1991, mais la flamme a rejailli, les vannes sont rouvertes. Un vent grisant la porte.

Toute la communauté artistique du country québécois est rassemblée pour célébrer les trois grands. Noëlla Therrien est là, bien sûr, aux côtés de son mari. De même qu'Oscar Thiffault, Bobby Hachey, Roger Miron, Lucille Starr, Lévis Bouliane, André Breton, Marie King… Ils sont presque tous là.

Dans la salle Monaco, à Saint-Hyacinthe, fief de Willie Lamothe, Renée se promène de table en table avec Patrick Norman. Les deux animateurs de la soirée interprètent les chansons phares des trois pionniers avec eux, tour à tour. Le plus grand succès de Marcel Martel, la chanson de ses débuts à elle, *Un coin du ciel*, fait partie du lot, nécessairement.

Ce n'est pas seulement avec la scène, c'est avec ses racines profondes qu'elle renoue. Avec le monde de son enfance. Avec sa famille élargie : Willie Lamothe, Paul Brunelle, elle les connaît depuis toujours, ils l'ont prise sur leurs genoux quand elle était petite, ils l'ont bercée.

Le 8 juin 1991 est à marquer d'une pierre.

C'est la petite Renée qui refait surface. Celle qui dansait avec ses souliers à claquettes sur la scène du Ranch de la Gaieté à cinq ans, celle qui chantait avec son père sur la scène du Théâtre Royal à cinq ans.

C'est comme un ange descendu du ciel, juste pour elle.

Ça ressemble à une révélation.

Madame Lebel, mère de quatre enfants, n'est pas venue à bout de Renée Martel.

Ça coule, c'est le flot, ça vient des tripes. Elle écrit.

Elle écrit le jour, tandis que la petite Laurence fait la sieste, que les plus grands sont à l'école, que Georges est au travail et que Naïma vaque à ses tâches, veille au grain, confectionne de savoureux plats marocains.

La nuit, quand toute la famille dort dans la maison de Greenfield Park, elle écrit encore.

Elle fait le bilan, en chansons, de sa vie, de ses amours, de ses égarements, de ses trous noirs. Comme on se livre à un exorcisme.

Elle ne se sent pas prête à entreprendre un spectacle solo, pas encore. Elle n'est pas pressée. Elle doit d'abord terminer l'écriture de son nouvel album.

Elle s'y est mise moins d'un an après son retour du Maroc. Sans même savoir si ça deviendrait un disque, sans même se demander si elle avait envie ou pas de recommencer à chanter.

Du temps où elle vivait encore à Casablanca, son producteur de disques, Guy Cloutier, avait tâté le terrain par personne interposée, alors qu'elle était de passage au Québec pour assister au mariage de son indéfectible amie, Michèle Richard. Renée

Martel souhaiterait-elle faire un nouvel album ? La porte était toute grande ouverte, lui avait laissé savoir l'émissaire de Guy Cloutier, Claudine Bachand.

« Non, pas pour l'instant », avait répondu Renée.

Peut-être jamais, se disait-elle.

Tout a commencé dans la nuit du 10 au 11 octobre 1991. Elle s'est réveillée avec cette pensée : au matin, cela ferait exactement dix ans qu'elle était entrée pour la première fois en thérapie antialcoolique.

Elle a pris un crayon, un papier. « Je reviens d'un long voyage/ On rentre tôt ou tard de tous ces départs/Je reviens d'un long voyage/Je veux prendre mon temps et vivre lentement. »

Rien à voir, ou si peu, avec son retour du Maroc. Oui, sa pause lumineuse là-bas l'a apaisée. Mais ça vient de plus loin. C'est de voyage intérieur qu'il s'agit. De son cheminement. Ça parle d'elle, qui revient de loin. Et de son bonheur, qui est ici et pas ailleurs. Ça parle d'amour. Et d'enfants. D'équilibre retrouvé. De sa vie ici, maintenant.

Elle met dix minutes, cette nuit-là, à écrire *Je reviens*, qui deviendra la première chanson de son nouvel album, *Authentique*. Son premier album en huit ans.

Dans le passé, quand elle écrivait des paroles de chanson, c'était sur une musique donnée, la plupart du temps. Cette fois, c'est elle qui mène le bal. Le temps venu, elle fera appel à des compositeurs de son choix : François Guy, Paul Daraîche, André Gagnon, Claude McKenzie du groupe Kashtin…

Le critique du *Devoir* Sylvain Cormier remarque que plusieurs collaborateurs intéressants, de styles différents, se sont rendus disponibles pour elle à ce moment-là : « Même Pierre Huet et Robert Léger, le duo d'auteurs-compositeurs de Beau Dommage, ont créé une pièce pour *Authentique*. Ça donne un bien bon disque, un album qui, tout en étant d'allure country, est l'un de ses plus pop. »

Dans le journal *La Presse*, à l'époque, le chroniqueur musical Alain Brunet note que l'album « est loin de sonner la cacane ». S'il émet quelques réserves, il se montre plutôt enthousiaste : « *Authentique* a donc été confectionné avec professionnalisme et intégrité. Ce n'est pas du grand art, ce n'est pas un disque country marquant, mais ces mots généralement simples (naïfs, dois-je dire...) sont bien envoyés par une chanteuse qui ne frime pas. Les auteurs ont visiblement fait les choses sur mesure pour Renée Martel. »

Authentique est lancé par la maison de disques de Guy Cloutier en février 1992. Dans la foulée, la chanteuse accorde notamment une entrevue au journal *Le Soleil*, qui titre « Renée Martel : une femme dans l'enclos réservé aux cowboys ». *Le Devoir* sollicite aussi une entrevue avec la cowgirl dorée. Elle est estomaquée. C'est bien la première fois que ce quotidien montréalais manifeste le désir de la rencontrer.

Pourquoi un journal dit intellectuel, entendre « élitiste » dans ses mots à elle, peu enclin en tout cas à démontrer son intérêt envers les westerneux, pour ne pas dire qu'il leur crache dessus, qu'il les méprise depuis si longtemps, rumine-t-elle, pourquoi diable ce journal-là se tourne-t-il vers elle ? On veut se moquer de Renée Martel, ou quoi ?

D'accord, le country est dans l'air du temps. Des plus jeunes comme Gildor Roy et Bourbon Gautier s'y sont mis tout en renouvelant le genre, et les médias en général se montrent de plus en plus ouverts à ce style de musique longtemps jugé quétaine. Mais *Le Devoir*?!

Son producteur insiste, elle y va. Mais méfiante, profil bas.

De son côté, le journaliste Sylvain Cormier, qui a pris l'initiative de la demande d'entrevue, est fortement intimidé. Il se retrouve pour la première fois en tête-à-tête avec l'idole de son enfance.

Comme bien des garçons à l'époque de *Jeunesse d'aujourd'hui*, le petit Sylvain, huit ans, était dans l'émerveillement face à la star. Pour ne pas dire qu'il était amoureux d'elle en secret.

C'est tout juste s'il ne l'embrassait pas quand elle apparaissait sur l'écran de télé. Il montait le son dès qu'il l'entendait chanter à la radio AM, continuellement en fonction dans la cuisine familiale. Et il passait des heures à scruter son image dans les journaux à potins de sa mère.

Il était ébloui par la beauté solaire de Renée Martel, par sa blondeur presque blanche qui lui conférait quelque chose d'irréel.

Le petit Montréalais ne savait pas qu'elle était la fille de Marcel Martel; d'ailleurs, on ne la présentait pas comme telle à la télé ou à la radio. Le futur journaliste ne connaissait même pas l'existence de Marcel Martel : jamais entendu parler de ce pionnier.

Comme bien des jeunes de sa génération et des adolescents à l'époque, aucun goût pour le western, chez lui. Sur son pick-up jouaient en boucle des chansons pop, yé-yé, comme celles des Sultans, des Lutins.

Il a suivi la carrière de Renée Martel de près, en fan fini, jusqu'à *Un amour qui ne veut pas mourir* en 1972. Trop western pour lui : il a décroché.

C'est le son et l'image de la Renée Martel à gogo, dans le vent, qu'il aimait. Cette sorte de mélange entre les jeunes stars internationales dont les posters tapissaient les murs des chambres d'adolescents à l'époque : Marianne Faithfull, de Grande-Bretagne, Marie Laforêt, de France, et Nancy Sinatra, des États-Unis.

En 1992, quand il se présente pour l'entrevue au bureau de Guy Cloutier sur la rue Sherbrooke à Montréal, c'est avec une pile de quarante-cinq tours et de microsillons usés de Renée Martel sous le bras. De même qu'avec un plein sac d'exemplaires jaunis de *Photo-Vedettes*.

Il est là, devant elle, avec son enthousiasme débordant, son admiration de petit garçon. Il laisse tomber sa gêne, il ose : « Moi, je t'aime, Renée. Je t'aime depuis que j'ai huit ans, et c'est pour la vie. »

Elle est prise de court, déstabilisée. Mais la glace est brisée. Elle fond.

La star s'amuse comme une fillette tandis qu'elle feuillette avec le journaliste du *Devoir* les *Photo-Vedettes* de l'époque de *Jeunesse d'aujourd'hui* où elle fait le plus souvent la une, avec ses longs cheveux blond-blanc, ses bottes à gogo, sa minijupe, et, parfois, vêtue d'un jumpsuit scintillant ou, tout simplement, d'un maillot de bain deux-pièces...

Cette rencontre jubilatoire avec Renée Martel demeura mémorable pour Sylvain Cormier. Avec le recul, elle pourrait même figurer au panthéon de sa carrière de journaliste musical.

Qui aurait dit qu'un jour il passerait en revue, en sa compagnie, par vieux journaux interposés, les premières années de la carrière montréalaise de celle qui le faisait rêver ? Qui aurait dit qu'un quart de siècle plus tard il reviendrait avec elle sur les potins la concernant, ceux qu'il dévorait semaine après semaine dans les petits journaux de sa mère quand il était enfant ?

Les rires fusent entre l'admirateur inconditionnel et la star, qui finiront, quelques années plus tard, par devenir amis.

Mais, malgré l'amusement qu'elle ressent, malgré elle, Renée Martel n'en est pas moins tourneboulée de voir défiler ainsi, de façon aussi simpliste, sensationnaliste, dans les *Photo-Vedettes* jaunis, les années de sa jeunesse : sa vie privée étalée au grand jour, soulignée au crayon gras, comme dans un roman-feuilleton.

Se succèdent, au fil des années, les rebondissements de son histoire d'amour avec Jean Malo, titrée, le moment venu, «Renée Martel se marie». Suit sa rupture dévastatrice avec lui. Puis, le début de sa relation avec Jean-Guy Chapados : «Elle a enfin trouvé l'homme de sa vie. »

Le tout parsemé de «Pourquoi j'ai pris de la drogue», «J'aurais honte de me montrer nue», «Le vrai visage de Renée Martel : comment elle se comporte en amour», «Pourquoi je veux un enfant à tout prix».

Et, comme une ombre qui la poursuit : «Pourquoi je n'aimais pas mon père. »

Gaspésie

~

Entre la femme et la star, qui va prendre le dessus ?

Tout le monde autour de Renée Martel est sur les dents, en cette soirée du 17 juillet 2010.

Jean-Guy, bien sûr, son chauffeur, son directeur de tournée… L'équipe technique, aussi. Les musiciens, dont son fils, Dominique. Et monsieur Henri, huit ans, son petit-fils, qui entend tout, voit tout, la tête enfouie dans ses *Garfield*.

Monsieur Henri : son premier petit-enfant, le seul et unique, pour l'instant. Il dormira avec elle dans son immense chambre d'hôtel ce soir-là, il a insisté : sa grand-mère, c'est sacré, c'est un phare pour lui.

Elle le gâte, elle l'adore. Sans condition. Elle lui passe tous ses petits caprices, répond à toutes ses questions, même les plus désarmantes. Il aime la voir sourire, la faire rire. Un petit clown, monsieur Henri. Un gros soleil dans la vie de Renée Martel.

À sa demande à elle, Luc De Larochellière a écrit pour monsieur Henri une chanson qui porte son nom : elle figure sur l'album *L'héritage*. Quand sa grand-mère en belle robe chic l'interprète en tournée, en la lui dédiant tout spécialement, le garçon jubile.

Il sait bien au fond de lui que sa grand-maman gâteau a quelque chose de fragile en elle. Du haut de ses huit ans, il aime à s'imaginer dans le rôle du superhéros protecteur, prêt à tout pour la défendre, même contre elle-même. C'est aussi pour ça qu'il veut partager sa chambre ce soir : pas seulement pour manger des chips dans le grand lit après le spectacle et regarder la télé jusqu'à pas d'heure.

À la répétition de fin d'après-midi, Renée est arrivée blafarde, tête basse, cachée derrière ses grosses lunettes fumées noires de star. Elle avait les cheveux plats, emmêlés, le pas traînant.

Avait-elle bu, rechuté encore une fois ? Personne dans l'équipe, surtout pas Jean-Guy, n'a osé poser la question à haute voix.

Près de trois mois qu'elle ne boit plus, en réalité. Elle a fait des rechutes continuelles depuis une dizaine d'années, c'est vrai, mais, cette fois, elle y croit, elle va y arriver.

Dans quelques jours, accompagnée par un frère d'armes, elle obtiendra, lors d'une réunion de soutien pour alcooliques, sa « médaille de trois mois », comme elle dit. Puis, le 25 octobre prochain, ce sera sa « médaille de six mois ».

Ce soir-là, le soir de son jeton de six mois, elle dira, en se rendant à la réunion : « Je suis plus nerveuse qu'avant un show. C'est de moi qu'il est question, de ma vie personnelle. »

Dans le sous-sol d'église, à Saint-Hyacinthe, vêtue d'une petite robe simple, elle s'avancera au micro sous les néons crus dans une sorte de peur et de joie entremêlées. Devant une cinquantaine d'alcooliques, dont plusieurs de ses amis, elle déclarera : « Je m'appelle Renée et je suis alcoolique. » Puis : « Ça fait sept ans que je ne me suis pas rendue jusqu'à six mois. Le plus loin que j'étais allée depuis, c'est trois mois. Ça a été très, très difficile. »

Elle ira ensuite célébrer l'événement autour d'un mauvais café, dans un snack-bar quelconque de Saint-Hyacinthe. Avec ses amis alcooliques.

Mais elle rechutera. Encore.

L'été prochain, elle replongera dans l'alcool, dans la détresse, tête baissée, rideaux fermés, téléphone décroché. Et elle se relèvera, encore.

Pour replonger. Encore.

« Je suis la force de ma vie/J'en suis la faiblesse aussi », chante-t-elle dans *Qui je suis*, qu'elle a elle-même écrite et qui ouvre son album *L'héritage*.

À la répétition de fin d'après-midi, elle s'est hissée, aux côtés de ses musiciens, sur la scène de la tente géante, secondée par Jean-Guy, qui lui sert régulièrement d'appui, prévient les faux pas de sa diva. Un fâcheux accident de ski, en 1998, a laissé des séquelles : son genou gauche lui joue parfois des tours.

Pendant la répétition, elle a poussé quelques notes, pour la forme. Il y a longtemps qu'elle ne travaille plus sa voix. Elle ne se rappelle plus la dernière fois qu'elle a fait des vocalises. Chanter, ça lui vient tout naturellement. Depuis toujours.

Elle a enchaîné le début de quelques chansons, à l'intention de son ingénieur du son. Ce spectacle, *L'héritage*, elle le connaît sur le bout des doigts. Près de deux ans, déjà, qu'elle le promène en tournée. Malgré les interruptions, les annulations. Malgré son évanouissement en plein show, à la Place des Arts, le 22 novembre 2008, quand Richard Desjardins l'a recueillie dans ses bras.

La répétition terminée, toujours guidée par Jean-Guy, elle a gagné sa loge improvisée, sous la bâche.

Chapitre vingt-six

La Martin 52

Après le retour sur disque, le retour à la télé. En 1994, Renée Martel anime l'émission *Country centre-ville*, enregistrée à Moncton et diffusée partout au pays sur les ondes de Radio-Canada.

Elle reçoit, semaine après semaine, des artistes de l'univers western francophone, comme l'incontournable Paul Daraîche et celui qui est devenu le king du country au Québec, Georges Hamel. Font aussi partie des invités les cowboys urbains Bourbon Gautier, Gildor Roy. Et des inconnus, triés sur le volet, dont l'animatrice veut faire découvrir le talent au plus grand nombre.

Elle se montre exigeante envers les musiciens habituels de l'émission, elle négocie avec la direction pour s'adjoindre un orchestre de qualité. Pas question que ça sonne la cacane. « Ce n'est pas parce qu'on fait de la musique country qu'on est obligé de mettre des gnochons en arrière », martèle-t-elle.

Carmel Dumas, qui l'avait relancée jusqu'au Maroc pour le documentaire *Quand la chanson dit bonjour au country* et l'hommage aux trois pionniers, retrouve Renée en cours de route. Elle s'intègre à l'équipe. Elle rédige les textes de l'émission, elle est toujours là, près de l'animatrice, dans l'ombre, elle la soutient. Elles deviennent amies.

C'est avec nostalgie que Carmel Dumas parle de cette relation aujourd'hui : « Nous nous ramassions au Crowne Plaza. Entre les tournages, nous étions les deux filles à Moncton... Nous avions bien du plaisir à être ensemble. »

Une personne dévouée à son travail, appliquée et ouverte d'esprit : c'est le souvenir que conserve de « son » animatrice Carmel Dumas, devenue au fil du temps une référence incontournable au Québec en matière de musique country : « Nous allions manger ensemble tout en parlant boulot, nous rencontrions les artistes avant les shows. Tout le monde aimait Renée. Les gens la respectaient beaucoup. Elle faisait le pont entre les générations, le pont entre les artistes connus et moins connus. Dans le milieu country, ce qu'elle a fait est extraordinaire. »

Bientôt, les allers-retours à Moncton épuisent Renée. Le burnout la guette. Sa santé en prend un coup. Bronchite, laryngite. Suivies d'une nouvelle infection rénale. À sa sortie de l'hôpital, son médecin lui prescrit le repos complet.

Mais elle s'entête, elle continue : elle adore l'animation, elle a fait de cette émission son bébé. Et elle est bien déçue quand, au bout de trois ans, en 1997, Radio-Canada l'informe de façon cavalière que son contrat ne sera pas renouvelé. Sans fournir d'explication.

Pas question de laisser l'amertume prendre le dessus. Moins d'un an plus tard, elle se lance dans la conception d'un album fidèle à ses racines, avec ce son country qui « sonne », qu'elle recherche depuis toujours. Un disque comme elle l'entend, de qualité, sans compromis.

Elle fait un choix minutieux parmi les classiques du genre, du côté américain (*I Fall to Pieces, Stand By Your Man*...) et québécois (*Mille après mille, Que la lune est belle ce soir*...). Elle s'entoure de musiciens inspirés, accomplis, pour ne pas dire virtuoses : Michel Donato à la contrebasse, Jean-Guy Grenier à la *pedal steel guitar*, André Proulx au violon, Guy Bélanger à l'harmonica…

Marc Beaulieu, avec qui elle a travaillé pour l'émission *Country centre-ville* et qui sera pendant une vingtaine d'années son chef d'orchestre attitré après avoir été celui de Roch Voisine, est aussi à ses côtés. De même que le guitariste de grand talent Jeff Smallwood, qui l'accompagnait sur le même plateau télé. Il a eu la permission d'utiliser, pour cet album, la guitare personnelle du père de Renée, que jamais personne, mis à part son propriétaire, n'a utilisée : une Martin 52, sur laquelle le nom de Marcel Martel apparaît en lettres nacrées.

Quand Renée avait fait sa demande au téléphone, son père avait commencé par refuser.

« Ma guitare ne sort pas d'ici. »

Il n'avait aucune idée du genre d'album qu'elle préparait. Elle voulait lui faire une surprise. Sans l'en informer, elle prévoyait reprendre quelques vieilles chansons de Marcel Martel.

Ce qu'elle a fait : *Mon cœur est comme un train* et *Infâme destin* figurent sur l'album, avec de nouveaux arrangements, pour les mettre en valeur, leur donner une autre couleur. On retrouve aussi *Bonsoir mon amour*, qu'elle chante en duo avec Marcel Martel, à l'insu de celui-ci, grâce à la magie de la technologie.

Elle avait donné une heure à son père pour reconsidérer son refus, en précisant que seul Jeff Smallwood gratterait sa guitare mythique, celle que Marcel avait eue sous le bras pendant des décennies pour ses spectacles et ses enregistrements. Quand elle l'a rappelé, il a flanché.

« Si c'est Jeff, c'est OK. Mais seulement lui ! »

Le résultat global a enthousiasmé Sylvain Cormier : « Tout ça a donné un disque extraordinaire. » En 1998, dans les pages du *Devoir*, il a sélectionné cet album intitulé tout simplement *Country* parmi les dix meilleurs de l'année. Dès la sortie du disque en début d'année, sous le titre « Le plus bel album country jamais gravé ici », il s'extasiait : « La grande réconciliation entre le western et le country américain peut enfin avoir lieu. Un disque essentiel. »

« Magnifique album », renchérissait par la suite Jean-Christophe Laurence dans *La Presse*.

Lors du lancement, c'est en béquilles que Renée Martel s'est présentée. Installée depuis quelque temps avec les siens à Knowlton, en Estrie, elle avait décidé de se remettre à skier après plusieurs années d'interruption.

À la troisième leçon, le 13 février 1998, alors que les pistes étaient glacées dans la foulée du grand verglas de cette année-là, elle était tombée de tout son poids sur son genou gauche, qui s'était déchiré à plusieurs endroits. Début de son handicap qui, en dépit d'une opération en juillet suivant, ne disparaîtra jamais tout à fait.

Chapitre vingt-sept

Le sang dans la bouche

Elle est encore fragile sur ses jambes, malgré les séances de phy-
siothérapie, quand elle entame, à l'automne 1998, une série de
spectacles au Casino de Montréal, avec Patrick Norman.

Les deux complices viennent d'enregistrer un disque
ensemble, spécialement pour le show. *Patrick et Renée Country*
souligne du même coup le vingtième anniversaire de leur association professionnelle.

« Réunissez deux des plus belles voix du country québécois,
note à l'époque Jean-Christophe Laurence dans *La Presse*, faites-
leur chanter quatorze de leurs plus jolies chansons, séparément
ou en duo. Couchez le tout sur un lit de guitares acoustiques et
d'arrangements sans prétention. Vous obtiendrez une galette
nature de bon goût, qui serait à mi-chemin entre le disque
Country de Renée Martel et l'album des Fabuleux Élégants,
parus plus tôt cette année. »

Parmi les chansons qu'ils interprètent sur cet album produit
par André Di Cesare sous l'étiquette Les Disques Star : une
reprise de la ballade romantique *Nous*. Plusieurs fans sont
persuadés, à l'époque, qu'ils forment un couple dans la vie,
même si Renée vit avec Georges, son mari. Les deux interprètes
ne chantent-ils pas en chœur « Nous, nous c'est un peu fou/
Une histoire d'amour/ La vie sans problème/ Vois au fond de
nos yeux/ Comme on est heureux/ Vois comme je t'aime » ?

Quand les curieux insistent, qu'ils leur demandent s'ils sont vraiment chum et blonde dans la vie, Renée répond non chaque fois. Patrick, de son côté, s'en amuse et répond oui à tout coup. L'ambiguïté persiste. Elle persistera...

Le chanteur et guitariste en rigole encore aujourd'hui: «Nous avons été très proches, mais jamais comme les gens se l'imaginent.»

S'ils ont travaillé ensemble pour la première fois, officiellement, en 1978, sur le plateau de l'émission *Patrick et Renée*, ils se côtoient depuis bien plus longtemps.

Patrick a d'abord découvert la star grâce à la télé, du temps de *Jeunesse d'aujourd'hui*. Il était déjà musicien à l'époque, jouait dans les bars avec son groupe, les Fabuleux Élégants. Quand arrivait la pause, il entendait souvent *Liverpool* jouer sur le juke-box: «J'aimais beaucoup ce que Renée Martel faisait, je trouvais que c'était bien fait, qu'il y avait de la profondeur dans les arrangements. J'étais un fan.»

Au tournant des années 1960-1970, il se produit régulièrement dans un resto-bar de la Rive-Sud de Montréal fréquenté par plusieurs personnalités artistiques, le Claude Saint-Jean Steak House. Renée y vient souvent. Elle s'amène parfois au micro, à l'invitation du chanteur. Aucune trace de snobisme de la part de Renée Martel malgré son statut de star, se souvient avec reconnaissance Patrick Norman: «Elle était une vedette, pas moi, mais elle faisait partie de la gang, elle était *"one of the boys"*.»

Leur relation se solidifie avec l'émission *Patrick et Renée*, qui, au départ, avait pour titre *Patrick, Renée et lui-même*. Lui-même étant le célèbre Willie Lamothe, animateur du défunt *Ranch à Willie*. Mais au bout de six émissions avec Patrick et Renée, l'interprète de *Mille après mille*, âgé de cinquante-huit ans, doit abandonner la partie, à cause d'un accident cardiovasculaire.

Patrick et Renée débutera en 1977 et durera trois saisons à Télé-Métropole. L'émission se fait dans un climat bon enfant, souriant. Patrick Norman s'improvise clown entre deux prises, comme il aime à le rappeler : « Je faisais toutes sortes de grimaces pour faire rire Renée. Il y avait aussi Tex Lecor dans l'équipe avec nous : en coulisse, lui et moi, on se racontait des histoires drôles, salées, on en mettait, et Renée était aussi singe que nous. On a tellement rigolé ensemble. »

Les tournages ont lieu à la Brasserie de l'Acier à Contrecœur, près de Sorel. Patrick Norman revoit très bien le décor, l'ambiance : « On passait deux jours ensemble là-bas. Le soir, on dormait au Motel Saint-Laurent. Chic place ! (rire) Renée et moi, on avait des chambres communicantes. On mangeait ensemble, on était complices. On tripait musique. Et on riait beaucoup. Elle se sentait souvent seule, moi aussi. Il y a des grands bouts où on se comprenait sans être obligés de parler. »

En 1984, il l'invite à interpréter avec lui la chanson *Nous*, sur son album *Quand on est en amour*. L'initiative provient en fait de sa compagnie de disques à lui. Patrick Norman en parle aujourd'hui comme « d'une drôle d'affaire » : « On exigeait la participation d'une vedette pour avoir plus d'impact, parce que, juste moi tout seul, ce n'était pas assez vendeur à l'époque… Renée n'a pas hésité, elle a dit oui. »

Déception, cependant : sur le coup, les ventes de l'album *Quand on est en amour* ne décollent pas. Seulement douze mille exemplaires trouvent preneurs en deux ans. Il faudra attendre la parution de la chanson-titre, *Quand on est en amour*, en quarante-cinq tours, pour que le succès se pointe, entraînant dans la foulée une flambée des ventes de l'album : deux cent cinquante mille exemplaires s'envolent en quelques mois. Résultat : en 1987, au gala de l'ADISQ, *Quand on est en amour* remporte le titre de l'album le plus vendu. Et Patrick Norman est sacré meilleur interprète masculin de l'année. Il décroche aussi la statuette du chanteur le plus populaire auprès du public, dans le cadre du gala MetroStar, au détriment de Claude Dubois, Daniel Lavoie et Michel Louvain...

La confiance et l'entraide mutuelles entre Patrick Norman et Renée Martel ne se sont jamais démenties au fil des ans. Chaque fois qu'ils se sont retrouvés, il y a eu de grands moments de confidences, insiste le chanteur : « J'ai été témoin des hauts et des bas de Renée. Je sais par quels tourments elle est passée, les abus d'alcool, tout ça. On se téléphone encore régulièrement. Elle sait qu'elle peut m'appeler n'importe quand, même en pleine nuit. Elle l'a fait souvent. Elle est tellement attachante : si elle ne m'a pas dit cent cinquante mille fois qu'elle m'aime, elle ne me l'a jamais dit. Elle me le dit chaque fois qu'on se parle au téléphone. »

Renée, de son côté, rêve du jour où elle va de nouveau chanter avec lui, sur disque et en spectacle : « Quand je chante avec Patrick, c'est comme s'il y avait une seule personne, une seule voix. Il n'y a qu'avec lui que je suis en symbiose aussi forte. »

Aux yeux de la réalisatrice et auteure Carmel Dumas, qui les a côtoyés tous les deux si souvent : « Patrick est un frère d'âme pour Renée. Et les voir chanter tous les deux ensemble, c'est magique. Ils ont un tel charisme et une telle complicité, faite d'intimité, de confidences partagées. »

Outre quelques apparitions sporadiques à la télévision, au Festival western de Saint-Tite où ailleurs, leur dernier spectacle en duo remonte à la fin de l'année 1998, au Casino de Montréal. Ils devaient se produire pendant une semaine, mais des représentations supplémentaires ont vite été ajoutées.

Quand elle entame cette série de spectacles proposée par le producteur André Di Cesare, Renée a recommencé à marcher depuis quelques mois à peine. Elle se déplace avec une canne. Mais elle tient le coup. Elle va même au-delà, elle se surpasse.

C'est l'image qu'en garde Patrick Norman : « Rien ne l'arrêtait. Elle dansait avec moi sur *Have You Ever Been Lonely*. Je la sentais tellement heureuse d'être là ! »

Parmi les spectateurs : Sylvain Cormier, définitivement réconcilié avec le country-western. Il parlera de ce spectacle dans *Le Devoir* comme de l'un des dix meilleurs spectacles francophones de l'année : « Que faisais-je donc dans ce spectacle conçu pour plaire aux matantes et mononcles ? Eh bien, j'étais comme tout le monde : heureux. Et je chantais avec l'auditoire les succès de l'un et de l'autre, et surtout les versions bien relevées des immortelles de la musique country, de Patsy Cline à Hank Williams. Snobisme et prétention laissés au vestiaire. »

« C'était un show de country acoustique, simple et chaleureux, axé sur le cœur et présenté à l'enseigne des retrouvailles », indique pour sa part le critique musical de *La Presse* Jean-Christophe Laurence au lendemain de la première. Devant la prestation des « deux plus belles voix du country québécois », il se montre tout aussi enthousiaste que son confrère du *Devoir*. Soulignant que les morceaux chantés en duo ont donné lieu « à des instants de délicieuse harmonie », il salue « la finale ovationnée de *Nous*, qui allait éventuellement mener au rappel du *Train qui siffle*, entonnée en gang devant un auditoire criant de plaisir ».

Ce que personne ne sait à ce moment-là, ni dans la salle, ni en coulisse ? Ce que même Patrick Norman ignore, bien qu'il ait senti chez sa partenaire « une certaine fragilité émotive et physique » ?

Chaque soir, quand elle sort de scène, Renée Martel court dans les toilettes pour cracher du sang. Parfois, pendant le spectacle, tandis que Patrick exécute un solo, elle s'échappe en coulisse et fait comme elle a vu faire son père si souvent dans le passé : elle s'empare d'un mouchoir pour absorber le sang qui lui emplit la bouche.

Ça dure depuis un moment, déjà.

Depuis des années, en fait, qu'elle crache du sang.

Elle est atteinte d'une grave maladie pulmonaire.

Lorsqu'elle était enfant, vu les problèmes de santé de son père, on lui avait fait passer des tests pour déceler la tuberculose. Le médecin traitant avait indiqué à ses parents qu'il y avait dans les poumons de Renée une source d'infection qui pourrait se développer plus tard.

Les symptômes ont commencé à se manifester alors qu'elle était au début de la vingtaine. Afflux de sang dans la bouche, pendant un jour ou deux. Puis, le calme plat.

C'est revenu par la suite sporadiquement. Une ou deux fois par année. C'est allé en s'intensifiant. Jusqu'à durer trois ou quatre jours d'affilée. Elle a reçu des avertissements sévères au fil des ans.

En 1988, lorsqu'elle est partie s'installer en famille au Maroc, une grave crise s'est déclenchée à bord de l'avion. À son arrivée à Casablanca, les deux grands linges blancs servant à protéger ses vêtements lors des boires de la petite Laurence, huit mois, étaient imbibés de sang. Des jours durant, ensuite, les saignements avaient continué.

C'était reparti comme c'était venu.

Chaque fois, Renée s'inquiétait sur le coup, puis, dès qu'elle était remise sur pied, elle passait à autre chose. En se croisant les doigts pour que ça ne recommence pas. Jusqu'à ce que ça recommence…

Quand c'est revenu, à l'automne 1998, lors des répétitions avec Patrick Norman au Casino de Montréal, elle s'est dit que ça allait finir par passer. Mais ça ne passait pas : après un jour ou deux de répit, les saignements reprenaient.

Maintenant, les saignements se sont installés pour de bon.

Elle ne peut plus fermer les yeux.

À la fin de l'année, une fois terminées les représentations supplémentaires du spectacle au Casino, elle consulte un médecin, qui la dirige vers un pneumologue. Elle se livre à une batterie de tests. Dont une bronchoscopie.

La veille de cet examen difficile, à la fin du mois de mars de 1999, elle appelle son père, lui qui est passé par là tant de fois dans sa vie, à une vingtaine de reprises, au moins. Il reste vague, ne veut surtout pas l'inquiéter. Il ne lui dit pas à quel point c'est douloureux. Il ne lui dit pas qu'elle va avoir l'impression de suffoquer, qu'elle va croire qu'elle est en train de mourir.

Elle apprend bientôt qu'on doit lui enlever la moitié du poumon droit. Au plus vite. Sinon l'infection pourrait se répandre dans l'autre poumon… L'opération délicate est prévue pour le mois de juin.

Elle a peur. Peur qu'on lui enlève plusieurs côtes, comme on l'a fait pour son père. Peur de se réveiller avec une longue cicatrice sur le corps, comme son père. Peur de ne pas se réveiller du tout.

Si elle devait se retrouver plus tard avec une trachéotomie, comme son père ? Si elle devait en venir à être branchée jour et nuit sur des machines pour parvenir à respirer, comme son père ?

Contrairement à lui, qui a pu recouvrer la voix après avoir perdu un poumon, elle ne doit pas compter là-dessus. Le problème chez elle se pose différemment, lui dit-on, ça ne nécessite pas le même type d'opération.

«Vous ne pourrez plus jamais chanter», la prévient son pneumologue.

Elle a cinquante-deux ans.

Quand elle a interrompu sa carrière, la dernière fois, c'était par choix. Cette fois, ça lui tombe dessus : un couperet.

Ça semble irrémédiable.

L'angoisse la ronge, la paralyse. La dépression s'installe. Renée s'y enfonce. On lui prescrit des antidépresseurs, mais rien n'y fait. Elle se sent couler.

Elle se laisse couler.

Peut-être qu'un petit verre aiderait, l'aiderait à engourdir son mal, qui sait? Au point où elle en est…

Elle retrempe ses lèvres dans l'alcool. Après seize années de sobriété.

Oh, elle ne touche pas à la vodka ni au gin! Pas encore. Juste une coupe de vin de temps en temps, c'est tout.

Elle joue avec le feu. Mais elle ne voit rien.

Rien d'autre qu'un gros nuage noir devant ses yeux : sa vie amputée, sa carrière foutue.

La rechute plane au-dessus de sa tête, elle s'en vient. Et elle sera monumentale.

Elle durera des années.

Des années de brouillard.

Dans la nuit du 13 au 14 avril 1999, elle reçoit un appel de son frère à la maison de Knowlton, dans les Cantons-de-l'Est : « Papa est parti. »

Parti ? Parti où ? Dans sa tête, dans son cœur de petite fille, son père est immortel.

Elle sait que la santé de son père décline, bien sûr. Marcel Martel a soixante-quatorze ans. Il est invalide depuis une douzaine d'années. Il cherche son souffle constamment et, quand il oublie de respirer, des machines à oxygène le font pour lui.

Deux semaines auparavant, la veille de la bronchoscopie de Renée, il a été admis à l'hôpital, à la suite d'une commotion cérébrale : quelques heures après avoir tenté de rassurer sa fille au téléphone, il a trébuché sur ses satanées machines, s'est emmêlé dans les fils et s'est fracassé la tête dans la salle de bain.

À peine quelques jours après son entrée d'urgence à l'hôpital, il lui a téléphoné. Il était encore faible, mais il avait pleinement retrouvé ses esprits. Il voulait savoir : alors, cette bronchoscopie ?

Horrible. Elle avait trouvé ça horrible. Elle avait de la difficulté à parler, ses cordes vocales étaient encore irritées.

« Je ne voulais pas te dire à quel point c'était pénible, parce que tu ne l'aurais jamais fait », lui a-t-il confié. Et il lui a conseillé de dire adieu au showbiz, de profiter de la vie, avec Georges, un si bon mari.

C'était le 31 mars, elle se souvient de la date.

C'est la dernière fois qu'elle lui a parlé.

Parti ? Parti où ?

Il est minuit dix, elle est couchée dans son lit, avec sa fille, Laurence, onze ans, à ses côtés. Elle entend la voix de son frère, Mario, au téléphone, mais elle ne comprend pas ce qu'il lui dit. C'est complètement irréel.

Mario insiste : « Papa est mort, Renée. »

Mario a passé outre aux recommandations de leur mère, qui souhaitait attendre au lendemain pour annoncer la nouvelle à sa fille. Il était tard, mieux valait la laisser dormir… Et puis Noëlla ne savait pas comment présenter cela à Renée, elle appréhendait sa réaction. Elle n'avait pas tort.

Tellement fragile, Renée. Tellement mal en point. Elle en a plein les bras avec sa dépression, elle a toujours peine à marcher à cause de son accident de ski, elle sait qu'elle n'a plus le choix de passer au bistouri.

Et, maintenant, le ciel lui tombe sur la tête.

Elle appelle sa mère, en furie. Pourquoi ? Pourquoi Noëlla n'a-t-elle pas jugé bon de l'appeler tout de suite ? Pourquoi a-t-elle dit à Mario d'attendre au lendemain pour la mettre au courant, elle, la fille de son père ?

Mais Noëlla semble tellement démunie. Elle a perdu son mari.

« C'est le cœur qui a lâché, lui dit-elle. Ton père est mort tandis que les infirmières qui le préparaient pour sa nuit avaient le dos tourné. »

Noëlla avait passé la journée auprès de son mari, comme d'habitude. Au moment de le quitter, après le souper, elle s'était retournée vers lui, sur le pas de la porte, et Marcel lui avait envoyé un baiser de la main, comme d'habitude. Tout semblait normal.

Quelques heures plus tard, on a appelé Noëlla d'urgence de l'hôpital. Elle est revenue à son chevet… trop tard.

« Il est parti en paix, lui a dit l'une des infirmières. Il voulait peut-être mourir seul… »

Noëlla se sent coupable de ne pas avoir été là, au chevet de Marcel, quand il est « parti ». Elle n'a pas besoin d'une fille en furie, non plus d'une fille effondrée. Elle a besoin d'être consolée.

Renée aussi.

Elle appelle Georges, qui passe plusieurs jours par semaine à Montréal pour son travail. Elle appelle son fils. Elle appelle le père de son fils, demeuré son ami, Jean-Guy Chapados. Elle appelle son amie Michèle Richard… Qui d'autre pourrait-elle appeler pour annoncer que l'impensable vient de se produire? Elle appelle Naïma, la nounou marocaine qui a partagé sa vie quotidienne pendant plusieurs années.

Mon père est mort, mon père est mort, mon père est mort… Elle passe toute la nuit à se répéter la même phrase en marchant de long en large dans la grande maison de l'Estrie. Rien à faire, ça ne lui entre pas dans la tête, elle n'arrive pas à y croire.

« Il n'y aura personne à mes funérailles, on m'a déjà oublié », lui avait dit son père, peu avant sa mort.

Au matin, elle se ressaisit. Elle décide de prendre les choses en main. Elle va lui montrer, à son père, qu'on ne l'a pas oublié.

Elle refoule ses émotions, joue la femme forte. Elle apprend le décès de Marcel Martel aux médias. Elle accorde une entrevue télé. Et, tandis que la nouvelle se répand, elle se lance dans l'organisation des funérailles.

Au cours des jours qui suivent, elle va se montrer froide, dure même, envers quiconque, à ses yeux, veut faire de la mort de son père un spectacle. Elle refusera que l'on chante en l'honneur de Marcel Martel à l'église. Pas de western. Rien. Elle ne voudra rien entendre.

C'est son père à elle qui est mort. C'est lui qu'elle veut célébrer. L'être humain. Pas le chanteur, pas le pionnier de la chanson western. Pas la figure publique.

Au salon funéraire, la veille de l'enterrement, elle ne quitte pas le cercueil des yeux. Son père est là, il se repose. Elle le veille, le protège. Il a l'air si paisible, c'est fou. Il a cessé de se battre pour respirer. Il est si beau.

Je t'aime, Papa.

Il va se réveiller, il va lui parler.

Quand l'assemblée s'avance pour réciter une prière collective, elle se sent perdue tout à coup. Elle se retire derrière, se laisse tomber sur une chaise. Et elle éclate en sanglots.

Elle repense à ce rêve qu'elle faisait, enfant.

Elle, au volant d'une voiture, qui tente de rattraper son père dans une autre auto devant. Lui qui roule trop vite. Elle qui crie : « S'il te plaît, Papa, attends-moi, s'il te plaît, je t'aime, Papa, attends-moi... »

Ce rêve de ses six ans pourrait résumer à lui seul toutes ces années qu'elle a passées à chercher l'amour de son père. Toutes ces années où elle s'est habillée pour lui plaire, où elle a chanté pour lui, où elle a essayé de bien faire pour qu'il soit fier d'elle.

Ce rêve pourrait contenir sa vie entière.

Elle a cinquante-deux ans et elle vient de perdre son père.

Elle a six ans à nouveau.

Et son père s'éloigne, s'éloigne…

Toutes ces années qu'ils ont passées à s'entredéchirer.

Depuis qu'à vingt ans, en sortant de scène, un soir, en Ontario, elle lui a tenu tête, l'a affronté, tenace, déchaînée, à coups d'espadrille, son père n'a plus jamais été violent physiquement avec elle. Mais la tension entre eux a mis du temps avant de s'estomper.

Au fil des ans, ils ont refait quelques spectacles ensemble, quelques rares tournées, dont une en 1983, pour l'album de Renée, *C'est mon histoire*. Ils sont allés en voyage en famille, ils ont célébré les fêtes et les anniversaires importants. Mais le feu continuait de couver, la plus petite étincelle menaçait constamment de se transformer en brasier.

Butés, chacun de leur côté, ils pouvaient cesser de se voir, de se parler pendant des mois, des années, même. Noëlla faisait l'intermédiaire, jouait son rôle d'arbitre. Elle parvenait plus ou moins à les réconcilier… jusqu'à la prochaine fois.

En 1972, à la mort de monsieur Sawyer, qu'elle considérait depuis son enfance comme son véritable père, Renée a appelé sa mère, alors en vacances en Arizona avec Marcel. Il était quatre heures du matin. Sèchement, sans contenir le moindrement sa rancune, la fille de Marcel a laissé tomber, les dents serrées : « Tu diras à ton mari que mon père vient de mourir. Pourquoi ce n'est pas lui qui est mort à sa place ? »

Par la suite, elle est restée deux ans sans parler directement à son père. Il faut dire aussi que Jean-Guy Chapados, avec qui elle vivait en couple à l'époque, ne voulait tout simplement pas côtoyer Marcel Martel. Il connaissait l'histoire de Renée, son enfance, il savait pour les coups. Et il ne tolérait pas le ton autoritaire, tranchant, que son père continuait d'employer avec elle. Cette façon qu'il avait de la rabaisser en toutes circonstances.

Quand même, un jour, Jean-Guy a fini par téléphoner à son beau-père. Devant Renée. Elle était enceinte de Dominique. Le futur papa débordait de joie, il voulait annoncer la nouvelle à Marcel. Malgré les réticences de Renée, qui refusait de voir son père interférer à nouveau dans sa vie.

Les hostilités avaient assez duré, insistait Jean-Guy. Il fallait penser à l'enfant à venir.

« Bonjour, grand-papa », a-t-il dit simplement à son beau-père, pour engager la conversation.

Le futur grand-père s'est radouci. Les deux hommes ont commencé à se parler. Et la fille et son père en sont venus à se rapprocher. Pour un temps…

Quoi qu'il arrive, Marcel a toujours continué, même de loin, à surveiller la carrière de Renée, à la conseiller. Il était fier de sa fille. Il aimait ses chansons. Il le disait à Noëlla, qui le rapportait à Renée. Mais est venu un moment où la popularité de Renée Martel comme artiste a contribué à envenimer davantage les relations entre le père et sa fille.

En mars 1983, dans la foulée de son album *C'est mon histoire*, la cowgirl dorée est invitée à se produire au Grand Théâtre de Québec. Ses parents, qui interprètent la chanson *Nous on aime la musique country* avec elle sur le disque, l'accompagnent. Ils viendront la rejoindre sur scène, le moment venu. Ils logent tous les trois à l'hôtel Le Concorde, ils ont deux chambres communicantes. Dans la chambre de Renée : un énorme panier de fruits et de fleurs enrubanné, avec un mot de bienvenue. Dans celle de Marcel et Noëlla : rien.

Marcel ne comprend pas. Ou plutôt, il comprend trop bien. Ça n'a jamais été aussi clair, aussi concret : ce n'est plus Renée Martel qui est la fille de Marcel Martel, c'est lui qui est devenu le père de… D'ailleurs, dans les médias, de plus en plus, c'est ainsi qu'on le présente.

« Je n'ai besoin de personne pour exister, lance le père de cinquante-huit ans à sa fille de trente-cinq ans, ce jour-là. Moi aussi, je suis une vedette ! » Il voit rouge. « Si tu es rendue là aujourd'hui, c'est grâce à moi, ne l'oublie pas. »

Renée est estomaquée devant l'ampleur de cette rage, de cette rancœur. Non pas qu'elle n'ait jamais vu son père dans cet état… Mais, au-delà de leurs différends, de leurs inlassables querelles, de leur relation conflictuelle sans issue, elle n'aurait jamais cru que la rivalité sur le plan artistique interviendrait un jour entre eux.

Jusque-là, c'était un territoire sacré.

Elle a bien constaté que les rôles sur le plan professionnel s'étaient inversés avec les années, mais comment dire à son père qu'elle n'y est pour rien ? Elle sent bien que derrière sa colère il y a un immense chagrin, mais comment apaiser cet homme meurtri, aigri, qui la montre du doigt ?

Elle mettra du temps avant de trouver les mots pour exprimer ce qui se joue entre eux, ce jour-là, devant l'énorme panier de fruits et de fleurs enrubanné portant l'inscription « Bienvenue Mme Martel ».

Elle finira par conclure que c'est tout simple, au fond : « Mon père avait une âme de vedette. Alors, que je le dépasse, moi… Il voulait que je devienne une vedette, il le voulait vraiment, mais il ne s'était jamais figuré que je deviendrais plus célèbre que lui. Ce n'était pas prévu dans son livre à lui. Ni dans le mien, d'ailleurs. Et, quand c'est arrivé, ça l'a blessé énormément, profondément. »

Près d'un an après la scène mémorable du Concorde, elle cherche encore comment se dépêtrer de cette histoire, quand elle doit convaincre son père de chanter à nouveau en famille *Nous on aime la musique country*, cette fois, à la Place des Arts. Saura-t-elle l'amadouer ?

Elle se mord les doigts. Surtout qu'elle vient de publier un récit autobiographique sur son parcours d'alcoolique… dans lequel elle prend son père à partie.

Renée se sent renaître depuis qu'elle a cessé de s'enivrer : elle a envie de le crier sur les toits. Envie, aussi, de partager son expérience passée, pour dire que, oui, il est possible de s'en sortir. Et puis qu'on en finisse une fois pour toutes avec les tabous entourant l'alcoolisme.

L'ouvrage, écrit par un rédacteur à partir de ses confidences, s'intitule *Renaissance*. Il prend des allures de confession thérapeutique. Elle y raconte la lutte qu'elle a menée avec elle-même pour cesser de boire, elle qui n'a pas pris une goutte depuis… un an.

Mais d'abord, elle revient sur sa descente aux enfers. Elle passe aux aveux, sans pudeur. Et elle ne se gêne pas pour écorcher son père, « un être froid et renfermé sur lui-même » qui ne lui a jamais témoigné le moindre signe d'affection et qui a fait d'elle, en la rabaissant constamment, une personne mal dans sa peau, complexée, en quête de reconnaissance.

Entre autres confidences, elle y révèle : « Dès l'âge de six ans, je me suis sentie possédée par une angoisse sans cesse grandissante. D'aussi loin que je me rappelle, je détestais mon père, moi qui aurais tant voulu l'aimer. » Puis : « Toute petite, j'avais des boules dans la gorge et dans l'estomac à force d'éprouver du ressentiment à l'égard de mon père. »

Elle raconte aussi que lorsqu'elle a appris, à l'âge de douze ans, que la famille devait quitter le Québec pour aller vivre à Los Angeles, elle a vécu un traumatisme épouvantable. Elle ne se faisait pas à l'idée d'être délogée de son patelin, Drummondville, et, surtout, de laisser derrière elle celui qu'elle aimait comme son père, monsieur Sawyer. Plus d'échappatoire possible, plus de refuge. Comment arriverait-elle à partager le même toit que Marcel Martel vingt-quatre heures sur vingt-quatre ? « Pendant six mois, j'ai vécu une période de profonde dépression. J'étais incapable de dormir la nuit et je pleurais en secret. Physiquement et moralement, je ne pouvais pas accepter d'être séparée de monsieur Sawyer. »

Elle relate également dans *Renaissance* les années qui ont suivi, une fois la famille établie à Springfield, dans le Massachusetts. Son père refusait qu'elle ait un petit ami, révèle-t-elle. Le soir, après l'école, avec le garçon en question, elle allait boire une boisson gazeuse, en catimini, à la pharmacie du coin, mais lorsque son père l'a appris, il est allé l'attendre devant la pharmacie pour la ramener à la maison. « Son indiscrétion touchait ma vie la plus intime. »

Elle ajoute qu'à cette époque elle rédigeait un journal personnel tous les jours. « C'était ma seule façon de m'exprimer librement. À chaque page, j'écrivais à quel point je détestais mon père. »

Elle confie qu'elle cachait son journal sous son oreiller. Mais que Marcel a fini par découvrir le pot aux roses. Et qu'un soir, à son retour de l'école, il l'attendait, enragé. « Quand je lui

ai dit qu'il n'avait pas le droit de s'approprier mes objets person-
nels, il m'a répondu qu'il avait tous les droits puisque cela se
passait dans sa maison. Parce que je vivais chez lui, je lui appar-
tenais. Il m'était désormais impossible d'avoir une vie intérieure ; il avait droit de regard sur mes moindres faits et gestes. »

Pas un mot, dans ce livre, sur la violence physique dont il a
fait preuve à son endroit, motus et bouche cousue là-dessus,
évidemment : qu'on ne voie surtout pas Renée Martel comme une
enfant battue… Mais elle n'en accuse pas moins son père sévère,
autoritaire, mal aimant d'être responsable de son alcoolisme
à elle.

Renaissance a ulcéré Marcel Martel.

Comment aurait-il pu en être autrement ?

Il n'a pas du tout apprécié, pour commencer, lui si discret
concernant les dessous de sa propre vie, que sa fille se livre à ce
point sur la place publique, qu'elle étale au grand jour son
alcoolisme. Mais qu'en plus elle lui fasse porter le blâme à lui !

Marcel Martel, le grand coupable, vraiment ?

Chapitre trente et un

Plus de vingt-cinq ans après la parution du livre litigieux, la question revient sur le tapis.

Noëlla et Renée sont toujours attablées dans un restaurant de Drummondville, par un jour verglacé de février.

— Est-ce que c'était dû à ton père, finalement, ton alcoolisme ?

— Non, je ne pense pas. Mais à l'époque, j'en étais persuadée…

La mère parle au passé de l'alcoolisme de Renée, comme si sa fille en avait fini avec sa dépendance à l'alcool. Renée fait l'autruche. Après une énième tentative, elle a obtenu, quatre mois auparavant, sa « médaille de six mois ». A-t-elle recommencé à boire depuis ?

Ce n'est pas sa mère qui va oser lui poser la question. On va dire que non, on va espérer. Et si Renée a recommencé, ça finira par devenir évident de toute façon, par prendre toute la place, encore une fois.

Ce sera le cas, dans quelques mois… à l'été, plus précisément.

En juin 2011, rechute d'une semaine. En juillet, à l'approche du troisième anniversaire de son mariage symbolique avec Bruno, elle aura replongé tout à fait. Elle aura pratiquement cessé de s'alimenter.

Au mois d'août suivant, elle se cassera la cheville à deux endroits. Opération majeure : on lui implantera des plaques, des vis, dans la jambe, sa jambe gauche, déjà fragilisée. Elle mettra des mois avant de recommencer à marcher : physio en maison de repos, déambulateur, canne.

À l'hôpital, entre-temps, on aura entrepris un bilan de santé. On diagnostiquera une ostéoporose sévère. On investiguera aussi pour identifier la source de ses problèmes de foie. Cette cassure de la cheville aura été salutaire, en un sens.

Au cours de la conversation entre la mère et la fille, devant le repas qui s'étire, elles ont déjà esquivé le sujet de la violence physique de Marcel envers sa fille. Elles avancent encore à pas de loup.

— Ton père n'a jamais été un homme qui a bu.

— Non. Pas du tout. Mais quand je suis arrivée en thérapie en 1981, ça prenait un coupable. Alors c'était la faute de mon père. Avec les années, j'ai compris que personne n'est responsable de l'alcoolisme des autres. Ce n'est pas lui qui a bu, c'est moi.

Qui « a bu ». Comme si le problème était réglé, encore une fois. Ni Renée ni sa mère n'en font de cas.

Noëlla se montre compatissante.

— C'était la faute des événements...

— Pour moi, c'était toujours la faute de quelqu'un. La faute de mon père, pour commencer. Puis, la faute de mes chums : la faute à Jean Malo, la faute à Jean-Guy Chapados...

Renée fait dans l'autodérision.

— La faute à l'un, la faute à l'autre…

Elle s'esclaffe. Sa mère aussi. Moment de complicité.

La tension a disparu.

Renée poursuit sa pensée, sous les yeux bienveillants de sa mère.

— Ce n'était la faute de personne. Ce n'était même pas de ma faute à moi. L'alcoolisme, c'est une maladie, qu'est-ce que tu veux que je te dise ?

— Moi, j'ai toujours pensé que ton alcoolisme avait commencé à cause de ta timidité. Tu n'as jamais été une fille qui fonçait. Et avant de monter sur la scène, les musiciens te disaient : « Prends donc un p'tit verre, ça va t'aider. »

— Oui, c'est comme ça que ça a commencé, c'est vrai. Ça s'est accéléré, surtout après mon arrivée à Montréal, en 1967.

— Ça fait que le coupable, finalement, c'est ni plus ni moins que le métier !

Le sujet est clos.

Ou presque.

Dans *Renaissance*, Renée Martel confiait qu'elle avait commencé à devenir une « alcoolique active » environ un an après son arrivée à Montréal. « Quand j'avais pris un verre ou deux, ajoutait-elle, j'en voulais encore davantage à mon père. »

Chapitre trente-deux

La réconciliation

En février 1984, c'est avec des gants blancs qu'elle présente son père sur la scène du Théâtre Maisonneuve de la Place des Arts. Elle témoigne avec chaleur de son affection, de son admiration pour lui. Elle tente de se racheter, du moins publiquement, pour les révélations fracassantes faites dans son livre.

Ce soir-là, quand il s'avance au micro avec Noëlla, Marcel a l'âme défaite. Il bout encore d'indignation à l'intérieur. Mais au-dehors, rien n'y paraît. Le grand pionnier se montre professionnel jusqu'au bout des doigts.

Leçon numéro un du père à sa fille : toujours se montrer digne en public. Toujours se montrer digne de son public.

Leçon numéro deux : toujours montrer une belle image de notre famille en public. Montrer que nous sommes une famille aimante, unie. Envers et contre tout.

Des leçons inculquées depuis l'enfance.

Depuis l'enfance, pourtant, c'est une autre histoire en privé.

En privé, les choses semblent loin de s'arranger entre eux.

À l'été 1985, Renée et son père passent plus d'un mois sans se parler.

Il lui en veut. Elle aussi. Chacun campe sur ses positions.

La raison de leur différend, cette fois? Une broutille. Mais qui a fini par prendre une ampleur démesurée, encore. Tant de rancœur accumulée, de part et d'autre.

Au téléphone, il lui a demandé de participer à une séance photo: ils poseraient, tous ensemble, toutes générations réunies, pour un portrait de famille. Le rendez-vous était pris avec le photographe, à Montréal, ça se passerait dans les jours à venir. Mais Renée a dit non: elle serait à Québec toute la semaine pour une animation télé, pas moyen de faire autrement. D'ailleurs, elle s'affairait à préparer ses bagages quand le téléphone a sonné...

La conversation a dégénéré. «Tu as honte de ta famille, c'est ça?» a-t-il lâché, au bout d'un moment, en vociférant, hors de lui. Clic. Elle a raccroché, piquée au vif, exaspérée.

Elle avait besoin de toute son énergie, de toute sa concentration. Elle misait beaucoup sur cet engagement professionnel à Québec. Il s'agissait d'un pilote, comme on dit dans le jargon télé: si le résultat s'avérait concluant, elle se retrouverait peut-être à la barre d'une nouvelle émission.

Le projet d'émission est tombé à l'eau, finalement.

Ensuite?

Ensuite, c'est Noëlla qui fait le pont entre Renée et son père, encore une fois. La mère appelle sa fille pour prendre de ses nouvelles, comme elle le fait régulièrement. Puis, l'air de rien, elle glisse dans la conversation: «Ton père est à côté de moi, tu veux lui parler?»

Renée demeure silencieuse.

Elle n'est pas dupe de ce petit manège. Son père non plus, d'ailleurs, elle le sait. Noëlla leur a fait le coup cent fois au moins.

Renée sait que son père est buté. Buté comme elle… Elle ne s'attend à rien. Mais, à son grand étonnement, ce jour-là, il s'amène au téléphone.

— Tu veux me parler ?

Elle fait d'abord sa finaude, sa crapaude.

— Non, non. Mais puisque tu es là…

Puis, elle baisse la garde.

Elle l'invite à une fête surprise pour célébrer le quarantième anniversaire de naissance de son amoureux. Marcel aime bien Georges, qu'il considère comme un vrai gentleman. Et Georges le lui rend bien, il le traite avec respect, lui témoigne beaucoup d'égards.

Renée en profite pour demander à son père de l'aider à choisir le cadeau pour son mari : elle veut lui acheter une canne pour la pêche à la mouche, elle n'y connaît rien… Son père viendrait-il au magasin avec elle ?

L'argument porte. Marcel, tout comme Georges, est un passionné de pêche.

Au jour dit, Renée et son père se retrouvent. Ils vont au magasin ensemble, elle achète la canne à pêche pour Georges, les accessoires nécessaires. Elle se procure tout ce qu'il faut, sous l'œil expert de son père.

Ils remontent dans l'auto. La fête a lieu le jour même, ils s'apprêtent à se diriger vers chez elle, à Saint-Lambert. Ils sont sur le boulevard Taschereau. Il pleut à verse.

— Tu sais, toutes les chicanes qu'on a eues ensemble, ça pourrait-tu finir ? glisse son père.

Elle est assise derrière le volant, elle n'a pas encore démarré le moteur, elle a son trousseau de clés à la main. Elle ne bouge plus. A-t-elle bien entendu ?

Son père fixe le pare-brise, où se déversent des trombes d'eau. Les vitres de l'auto s'embuent. Le temps est suspendu.

— Le sais-tu, quand ça va finir ? lance soudain Renée, les traits durcis.

Depuis le temps que ses griefs s'accumulent. Depuis l'enfance. Depuis le temps qu'il la rabroue, la malmène, la traite comme une moins que rien.

D'accord, ces dernières années, elle l'a blessé, elle a même réglé publiquement ses comptes avec lui, elle l'a humilié. Mais est-il seulement conscient de tout le mal qu'il lui a fait, qu'il continue à lui faire, encore aujourd'hui ?

La pente sera longue à remonter.

Mais elle ne le dit pas, elle ne dit rien de tout ça, dans l'auto balayée par la pluie.

Sa première pensée va à son fils, Dominique, onze ans, qui passe de plus en plus de temps avec elle tandis qu'elle bataille fort pour récupérer sa garde. Son grand-père Martel ne l'a jamais appelé par son prénom, n'a jamais prononcé son prénom : il a toujours parlé de Dominique en disant « le p'tit gars ».

— Premièrement, dit-elle en fixant le volant, ça va se terminer quand tu vas cesser d'appeler mon fils « le p'tit gars ». Il s'appelle Do-mi-ni-que. C'est mon fils, c'est ma vie. Deuxièmement, ça va finir quand tu vas commencer à me respecter. Comme personne, comme mère, comme femme. Sinon ça va durer pour la vie.

Elle est loin d'avoir fini, et elle est bien déterminée à aller jusqu'au bout.

— Je suis une mère respectable, une femme respectable, je m'occupe de mon enfant, je m'occupe de moi.

Elle a trente-huit ans, elle a cessé de boire depuis plus de trois ans, elle a repris sa vie en main. Son fils la respecte, ses amis la respectent, tout le monde la respecte. Pourquoi pas lui?

— Je pensais que je te respectais, marmonne-t-il.

Elle le rappelle à l'ordre, inflexible.

— Non, tu respectes ce que je fais, mais tu ne me respectes pas. Ce n'est pas pareil. Tu aimes mes chansons, tu es content que je continue ma carrière, ça te fait honneur. Mais en tant que personne, tu ne me respectes pas.

Marcel se montre surpris. Démuni.

— Vraiment, tu crois?

Elle lâche le morceau, une fois pour toutes.

— Tu sais, Papa, tu ne peux plus me bousculer comme tu le faisais, tu ne peux plus me lancer sur les murs comme quand j'avais treize ou quatorze ans. Et tu ne peux plus mener ma vie comme tu voulais la mener.

Marcel Martel ne dit plus rien.

Il prend sa fille dans ses bras.

Il pleure. Elle aussi. Et ils se parlent enfin.

Personne, pas même Noëlla, ne saura ce qu'ils se disent, ce jour-là, derrière les vitres embuées de l'auto sur le boulevard Taschereau.

Deux années ont passé depuis leur conversation secrète sur le boulevard Taschereau.

Il l'appelle presque tous les jours. Il rit avec elle au téléphone. Comment est-ce possible ?

Quand elle se rend à Drummondville pour une fête de famille, il demande souvent, au bout d'un moment, à la voir en privé, pour lui parler. Elle ne le reconnaît plus.

Pour une raison qu'elle ignore, il s'est mis à lui raconter sa vie. Toute sa vie, depuis sa naissance. Même ses faux pas, ses égarements. Il lui fait confiance, il n'a aucune réserve. Un livre ouvert.

Elle est devenue sa confidente, son interlocutrice privilégiée. Et son agente. Elle est devenue son point de référence, son poteau. Ils ont leur bulle à tous les deux. Même Noëlla ne peut pas y pénétrer.

Qui aurait dit ?

Mais Renée est encore mal à l'aise avec lui. Elle ne sait pas toujours comment s'y prendre avec son père, cet inconnu.

Le jour de son mariage avec Georges, le 15 août 1987, ce n'est pas à son bras, mais à celui de son fils qu'elle décide de remonter l'allée, à l'église de Saint-Lambert.

Ce geste, son père le voit comme un affront.

Marcel est sorti de l'hôpital la veille, expressément pour l'événement. Il y retournera le lendemain. Sa santé dépérit.

Mais elle a fait son choix. Aucun esprit de vengeance de sa part, se dit-elle, se convainc-t-elle. Plaidera-t-elle…

Simplement, cela se passe entre son fils et elle, cela a à voir avec leur histoire à tous les deux, Dominique et elle. Elle lui en a fait baver, elle le sait. Elle s'en veut encore, elle s'en voudra toute sa vie.

Son choix : une façon de réparer les pots cassés ?

Dominique est revenu au quotidien dans sa vie depuis un peu plus d'un an. Tout n'est pas rose, la tension est palpable à la maison avec les enfants de Georges, mais elle a retrouvé la confiance de son fils, se dit-elle, se convainc-t-elle. Elle veut lui témoigner la sienne, sa confiance, plaidera-t-elle.

Il est très important, dans le scénario qu'elle a imaginé, que ce soit son fils qui réponde, quand le prêtre demandera : « Qui donne cette femme à cet homme ? » C'est comme ça qu'elle voit les choses. C'est elle qui se marie, pour la première fois de sa vie, à l'âge de quarante ans. Elle écoute son cœur, c'est tout. Elle veut se sentir bien, en paix avec elle-même, voilà tout.

Ce qu'elle n'a pas prévu et qu'elle ne pouvait pas prévoir : quand elle aura dit oui, au moment où le prêtre déclarera Georges et Renée mari et femme, Dominique va s'évanouir. Trop d'émotion pour lui. Il ne veut pas de ce mariage entre sa mère et Georges Lebel, il ne veut pas de cette vie, de cette famille. Il veut son père et sa mère ensemble. Ou, sinon, sa mère pour lui tout seul.

Tout le monde est là. Les deux familles. Les amis, dont l'incontournable Michèle Richard. Et, aux côtés de René Angélil, ex-imprésario de la cowgirl dorée : Céline Dion, qui va chanter pour les mariés *Avec simplicité*, de Richard Cocciante. La chanson d'amour préférée de Georges et Renée, leur chanson à tous les deux.

La presque mariée remonte fièrement l'allée de l'église au bras de Dominique, tandis que Marcel, chancelant, est relégué au second rang.

Marcel ne comprend pas. Ils se sont réconciliés, non ? Alors pourquoi ? Pourquoi elle lui fait ça ?

Il comprend trop bien, en vérité.

Le 26 juin 1990, jour de son quarante-troisième anniversaire, elle reçoit un appel d'urgence de sa mère, au Maroc, où elle vit depuis deux ans.

Elle vient à peine de rentrer d'un séjour au Québec. Elle en a profité pour aller voir ses parents à Drummondville. Elle a trouvé son père affaibli. Mais elle ne s'attendait pas à cela : Noëlla lui apprend que Marcel a subi une trachéotomie. Et qu'il doit en subir une deuxième. Sa trachée s'est infectée…

Elle ne parle à son père que quatre mois plus tard, après sa sortie de l'hôpital. Il a la voix altérée, mais pas de canule dans la gorge, bientôt il va pouvoir reparler presque normalement. Leur conversation ne s'éternise pas.

Elle se termine par ces mots :

— Je t'aime, Papa.

— Moi aussi, je t'aime, Renée.

A-t-elle rêvé ? Ça s'est vraiment passé dans la réalité ?

Ça se passera de plus en plus souvent. Chaque fois qu'ils se parleront, désormais. Avant de se quitter :

— Je t'aime, Papa.

— Moi aussi, je t'aime, Renée.

Même scénario, jusqu'à la mort de Marcel Martel.

À la fin de l'année 1990, quand elle rentre définitivement au Québec, leur relation devient très intense. Tellement d'années à rattraper.

Tout cet amour qu'elle lui a donné depuis qu'elle est petite et qu'il ne voulait pas recevoir : comment croire qu'il l'accepte enfin ? Comme s'il venait de se réveiller, qu'il avait enfin compris qu'elle l'adore, depuis toujours.

C'est tout naturellement qu'elle lui dédie, en 1992, son album *Authentique*, sur lequel elle reprend notamment *Un coin du ciel*. Sur la pochette, elle pose en vêtements country, avec, sur la tête, un chapeau de cowboy. Comme son père chanteur autrefois sur ses photos.

La petite fille a retrouvé le père qu'elle a toujours rêvé d'avoir, celui qu'elle a attendu toute sa vie. C'est ce qui importe le plus pour elle. Le reste de son histoire avec lui est derrière, c'est du passé. Mort et enterré.

Son enfance et son adolescence torturées, son père déchaîné la rouant de coups jusqu'à l'âge de dix-neuf ans ? Elle n'en parle pas, lui non plus.

Ils n'en reparleront jamais, tous les deux.

Elle n'a pas oublié, mais elle lui a pardonné depuis longtemps.

Marcel Martel, lui, est incapable d'affronter le père violent qu'il a été. Surtout devant elle.

« Pourrais-tu me pardonner ? »

C'est tout ce qu'il parvient à dire. La tête posée sur l'épaule de sa fille, il pleure.

En 1998, il est trop malade pour assister au lancement de l'album *Country*, pour lequel il a autorisé Jeff Smallwood à jouer avec sa guitare mythique. Quand Renée demande à son père, au téléphone, comment il trouve son nouveau disque, Marcel Martel se met à pleurer. « C'est beau en crisse… J'peux pas parler ; je suis trop ému. »

Le lendemain, il lui dit qu'il n'a jamais entendu de sa vie un plus beau record. Et il lui confie qu'un jour, la fameuse Martin 52 sera son héritage.

Cinq après la mort de son père, l'instrument trônera toujours dans le bureau de Renée. Elle qui n'a jamais vraiment su jouer de guitare de sa vie se dira *c'est trop bête*. Elle l'offrira à Jeff Smallwood.

« Prends-en bien soin. »

C'est avec la Martin 52 que le musicien l'accompagnera tout du long sur l'album *L'héritage* en 2008, puis, en 2010, sur la scène du Théâtre Maisonneuve de la Place des Arts, lors du spectacle *Carte blanche à Renée Martel* présenté dans le cadre des FrancoFolies.

Le 1ᵉʳ février 1999, jour du soixante-quatorzième anniversaire de naissance de Marcel Martel, toute la famille est rassemblée autour de lui, à Drummondville : Renée, son frère, son mari, les petits-enfants… et, bien sûr, Noëlla. Au milieu du repas, le patriarche, sans appétit, le teint gris, se dirige péniblement vers sa chambre. Il fait signe à Renée.

« Est-ce que je pourrais te parler ? »

Elle le rejoint, s'assoit sur le bord du lit à côté de lui. Leur petit cérémonial reprend. Avec, cette fois, dans la voix de Marcel Martel, dans ses yeux baignés de larmes, une urgence nouvelle : « Mon Dieu que je n'ai pas été un bon père pour toi. »

Il est inconsolable.

« Jamais, jamais je ne vais me pardonner ce que je t'ai fait. »

C'est la dernière fois qu'ils se voient.

Marcel Martel meurt deux mois et demi plus tard.

Pour Renée, son père est mort dans la culpabilité, dans les remords, les regrets. « Il ne s'est jamais pardonné, et je ne suis pas parvenue à le consoler. »

Gaspésie

～

Une fois la répétition de fin d'après-midi terminée, toujours guidée par Jean-Guy, elle a gagné sa loge improvisée, sous la bâche. Elle mangé un morceau. Bu ses boissons énergisantes. Et autographié, à la demande de l'indispensable Jean-Guy, des posters d'elle-même pour des inconnus, dont une handicapée en fauteuil roulant qui réalise ce soir le rêve de sa vie : voir son idole sur scène.

Elle a discuté avec monsieur Henri, le fils de Dominique, batteur de son groupe. Elle a offert cinq dollars au petit pour qu'il veille au grain, qu'il s'assure qu'elle ne manque de rien et qu'il vienne en aide à Jean-Guy, au besoin. Monsieur Henri a négocié son salaire, arrachant un sourire à sa grand-mère. Ils se sont finalement entendus pour dix dollars.

Un membre du personnel gaspésien est passé en coup de vent. « Je vous ai vue en spectacle à Cap-Chat dans les années 1970, avec Michèle Richard et Jacques Salvail », a-t-il lancé, la tête en étau dans la fente du rideau frémissant. Puis, avant de s'éclipser : « Je suis très heureux de vous revoir en Gaspésie. Je vous aime. »

Un vieil homme au visage raviné s'est faufilé, discrètement, jusqu'à elle, malgré la vigilance de Jean-Guy et de monsieur Henri. Il a pris ses mains dans les siennes, sans gêne, avec chaleur, comme s'il était son grand-père.

« La dernière fois que je t'ai vue, tu étais haute comme trois pommes. Tu chantais *Un coin du ciel* avec ton père. Ensuite, je m'en souviens, tu as mangé des chips sur les genoux de ta mère. Merci d'être encore là. Tu es un cadeau du ciel. »

Elle a regardé le vieil homme s'éloigner de sa loge improvisée, étrangère à son passé, étrangère à elle-même.

Elle a fouillé dans son grand sac à l'effigie de l'héroïne de bande dessinée Betty Boop, a sorti ses pinceaux, ses boîtiers, ses ombres à paupières, ses tubes de rouge à lèvres, ses petits pots de crème miracle. Et elle a entrepris sa transformation. D'une main experte, routinière.

Elle a agi machinalement, sans y penser. Comme elle le fait depuis des années. Comme elle a vu faire sa mère chanteuse avant elle. Comme on le lui a appris, au fil des ans.

Elle s'agite, séparée d'elle-même. Tentant de se ressaisir, tentée de se laisser aller.

Tout peut arriver avec Renée Martel. Elle le sait. Personne ne l'ignore autour d'elle.

Ce qui la retient, dans ses bons jours, ce qui la pousse en avant : donner de l'espoir, montrer qu'on peut se relever. Redonner de l'espoir à ceux qui l'ont perdu. Aux alcooliques. Aux suicidaires. Aux conjoints de suicidés.

« Je ne suis pas une victime », ne cesse-t-elle de dire.

Pas une victime, surtout pas, Renée Martel : elle voudrait que tout le monde l'entende. Pour s'en convaincre elle-même ?

Parfois, la formule varie. « Je ne suis pas une victime, ni une sainte. »

Elle a aussi coutume de dire : « On pourrait écrire quatre ou cinq romans avec ma vie. » Mais un seul suffit, pour l'instant. Un seul roman.

Celui qui se joue, ce soir, à Gaspé.

Dix jours après la mort de son père, elle est en studio pour enregistrer l'album hommage *À mon père*. Elle tient à peine sur ses jambes. Elle est dopée aux antidépresseurs. Et elle a recommencé à boire pour de bon.

Dans les jours qui ont suivi la mort de Marcel Martel, elle s'est acheté deux viniers, qu'elle a vidés. Au diable le reste du monde. Au diable sa santé. Au diable l'opération au poumon qui plane comme une menace. Il n'y a que son père pour elle.

Parti ? Parti où ?

Elle porte au doigt l'anneau de mariage de son père. Depuis la veille des funérailles, le bijou ne la quitte pas. Il ne la quittera plus.

Sa mère est à ses côtés. « Tu viens avec moi au studio, sinon je vais mourir », lui a dit Renée.

Noëlla ne la lâche pas des yeux, au studio. « J'avais le cœur gros, témoignera-t-elle plusieurs années plus tard. Mais moi, au moins, je n'étais pas obligée de chanter… »

Au bout d'une chanson ou deux, à tout coup, Renée doit s'arrêter. En larmes, chaque fois.

L'enregistrement de l'album dure une semaine.

Elle commence par chanter *Simple passager* : il la faisait toujours, en spectacle, quand elle était à ses côtés. C'était obligé, c'était tacite entre eux. Il savait que c'était sa préférée parmi toutes les chansons qu'il avait composées.

« Je ne suis que de passage dans ce monde/Alors chérie, pourquoi me faire pleurer/Chaque nuit, chaque jour, chaque seconde/Je m'ennuie de toi, je ne peux t'oublier. »

Ce sera la première chanson à figurer sur le disque hommage *post mortem* à son père. La dernière sera *Pour toi Renée*, écrite juste pour elle alors qu'elle était toute petite.

Une toute petite fille : c'est ce qu'elle est redevenue depuis que son père est mort. *Mon père est mort, mon père est mort, mon père est mort...* Comment s'ancrer cela dans la tête ? Comment l'accepter ?

Il y a l'incontournable *Un coin du ciel*, qu'il faudra bien qu'elle interprète. La plus douloureuse à exécuter maintenant qu'il est *parti*. Le plus grand succès de Marcel Martel. La première chanson qu'elle a chantée en duo avec lui, sur la scène du Théâtre Royal à Drummondville.

Elle a choisi de la chanter une dernière fois en duo avec son père, sur sa voix à lui. Cette voix venue d'outre-tombe.

« Tu appuies sur le bouton et, que ce soit bon ou non, tu gardes cette version, je ne la ferai pas une deuxième fois », dit-elle au réalisateur de l'album, Marc Beaulieu.

L'impression de vivre la pire épreuve de sa vie.

Facile, pourtant. Elle n'a qu'à suivre son père, qu'à se laisser porter. Symbiose totale. Les paroles, elle les connaît par cœur de toute façon, depuis si longtemps déjà : « Mon cœur t'appelle et te réclame jour et nuit/Sois-moi fidèle, je t'aimerai toujours, ma jolie. »

C'est fini. *Enfin.*

Elle est allée jusqu'au bout d'*Un coin du ciel* sans s'arrêter, elle a réussi. Elle s'effondre.

L'enregistrement de l'album est terminé. Renée quitte le studio au bras de sa mère.

Pour Marc Beaulieu, qui éteint les lumières derrière elles : « Cet album a été très difficile à faire. C'est l'expérience en studio la plus difficile de ma carrière. Mais nous étions assez intimes, Renée et moi, pour qu'elle puisse vivre son deuil en ma présence, comme si j'étais assis à côté d'elle dans son salon. J'ai pris Renée comme elle était. Dans la fragilité extrême où elle se trouvait. Cette fragilité s'entend, d'ailleurs, sur le disque… »

Absente du monde, absente d'elle-même, Renée n'est pas capable de faire la promotion de l'album. Pas de rencontres avec la presse, aucune apparition dans les médias.

Elle boit, désespère, se cache, se terre.

À mon père lui vaudra le Félix du meilleur album country au gala de l'ADSIQ, en 1999. Il dépassera les cinquante mille exemplaires vendus.

Ce sera son dernier album avant ses adieux à la vie artistique. Son dernier disque à vie, croit-elle à ce moment-là.

Elle continue à cracher du sang.

Son problème s'est aggravé, l'opération au poumon est incontournable, imminente.

Chapitre trente-six

Le fantôme

Elle vit avec un fantôme, celui de son père.

Depuis les funérailles, elle est persuadée que l'âme de Marcel Martel s'est installée chez elle, dans le grenier de la grande maison de Knowlton.

Georges travaille à Montréal, elle est seule la plupart du temps, seule avec Laurence. Le soir, une fois sa fille au lit, elle s'installe au salon, se sert un verre, puis un autre, et elle attend son père.

Elle guette l'escalier, jusqu'à ce qu'il vienne la rejoindre. Il n'apparaît que lorsqu'elle est seule, quand il peut lui parler en privé. Alors, leur dialogue se poursuit.

— Je t'aime, Papa.

— Moi aussi, je t'aime, Renée.

Elle seule le voit, il ne parle qu'à elle.

Ça devient une obsession.

Ça frôlera bientôt la folie.

Durant la journée, elle en viendra à éviter de faire du bruit, pour ne pas réveiller son père qui dort au grenier. Et elle grondera le chien de la maison pour qu'il cesse de japper. Le soir venu, elle guettera les pas de son père dans l'escalier, refusera de fermer l'œil tant qu'il ne sera pas venu la rejoindre au salon.

Il ne sera pas toujours au rendez-vous. Pourquoi?

Elle se persuadera qu'il est impossible que son père ait pu l'abandonner.

Elle se convaincra qu'elle seule a su l'aimer. Que personne, à part elle, n'a pu lui prodiguer l'amour dont il avait besoin, l'amour qu'il méritait. Pas même Noëlla. Elle en viendra à haïr sa mère pour ça.

Elle se dira que son père lui appartient.

Elle perdra complètement le sens de la réalité pour vivre dans le même espace-temps que le fantôme de son père.

S'il te plaît, Papa, attends-moi… S'il te plaît, je t'aime, Papa, attends-moi…

Elle fera des tentatives de suicide répétées. Elle ira plus d'une fois en cure antialcoolique. Et elle entreprendra une longue psychothérapie.

Le 1er juin 1999, elle passe plus de deux heures en salle d'opération.

On ne lui retire pas de côtes, comme on l'a fait à son père. Elle n'est pas atteinte de tuberculose ; elle souffre de bronchectasie, une maladie congénitale, chronique, qui s'attaque d'abord aux bronches.

On procède à une embolisation : on obstrue les artères affectées, par cathéter, à l'aide d'une caméra miniature. Elle n'est pas endormie, elle doit pouvoir contrôler sa respiration.

On l'a prévenue avant l'intervention : le processus de rémission peut prendre de cinq à sept ans. On réitère le pronostic au sortir de l'opération. Et qu'elle ne se fasse pas d'illusions, lui répète-t-on.

« Vous ne pourrez plus jamais chanter. »

Persuadée que le showbiz est derrière elle et désireuse de se rattacher à un projet concret, elle entreprend, peu de temps après, l'écriture de ses mémoires, en collaboration avec son fils. Le livre sera lancé au printemps 2002. Elle y fait le bilan de sa carrière, revient sur les moments marquants de sa vie. Elle se montre sereine devant l'avenir qui l'attend, se voit mener une vie paisible avec Georges, dans leur belle maison de Knowlton. *Ma vie, je t'aime* : le titre de l'ouvrage mise sur l'optimisme dont elle espère tant se convaincre.

Dans les jours, les semaines, les années qui suivent son opération, elle tousse jour et nuit. Quand Georges est à la maison, il ne se couche plus auprès d'elle : impossible de dormir à ses côtés. Ils font chambre à part désormais.

Il arrive à Renée d'être totalement aphone pendant des semaines. Elle fait des crises d'asthme à répétition, se retrouve à l'urgence fréquemment. Elle est épuisée, à bout. L'alcool qu'elle consomme maintenant systématiquement, en grande quantité, n'aide pas. Elle a des passages à vide effrayants, des colères imprévisibles.

Georges, qui a épousé une femme qui ne buvait pas, qui a vécu avec une femme à jeun pendant plus de quinze ans, s'est d'abord réjoui qu'ils puissent partager tous les deux une bonne bouteille de vin au souper de temps à autre. Mais, très vite, il n'a plus su comment réagir à ses excès, il s'est senti dépassé par l'alcoolisme de sa femme. Il ne la reconnaît plus.

Elle prend des doses considérables de cortisone chaque jour. Combinée à l'alcool, c'est impitoyable. Elle grossit. Elle atteint cent soixante-quinze livres : plus de cinquante livres au-dessus de son poids habituel. Elle est catastrophée. Elle ne s'habille plus ; à quoi bon ? Et quand elle revêt une robe, à l'occasion, c'est quelque chose d'informe : l'impression d'avoir une tente sur le dos. Son mari ne la regarde plus. Elle le comprend et elle s'en veut.

Elle prend encore des antidépresseurs. Et du Nexium, pour tenter de contrôler ses problèmes d'estomac. L'alcool coule encore et toujours à flots. Elle est complètement intoxiquée.

Georges et elle se séparent. Puis reviennent ensemble. Mais ils forment un drôle de couple désormais. Leur relation s'est usée, le désenchantement s'est installé.

Quand il repart travailler à Montréal, Georges est inquiet. Il n'aime pas la laisser seule avec leur fille. Si le feu prenait à la maison pendant que Laurence est endormie et que Renée est affalée sur le sofa complètement soûle?

Laurence elle-même ne sait plus quoi penser, ne sait plus quoi faire de sa mère. Elle est appelée à jouer un rôle qu'elle ne peut pas, ne veut pas jouer : elle ne veut pas devenir la mère de sa mère. Elle ne croit plus à ses promesses d'arrêter de boire. Le lien de confiance est brisé. Elle ne croit plus aux appels au secours de sa mère, elle en a assez de ses tentatives de suicide.

Laurence ne pense qu'à fuir, loin de sa mère, loin de cet enfer. « J'ai grandi trop vite. J'ai vu des choses qu'une enfant de douze ou treize ans ne devrait pas voir. J'ai trouvé ça dur, ça m'a marquée. Prendre soin de sa mère à l'adolescence, ce n'est pas normal. C'est ma mère qui aurait dû me prendre dans ses bras quand j'avais de la peine, et non l'inverse. Longtemps je lui en ai voulu pour ça. Et longtemps je m'en suis voulu à moi : je me sentais égoïste de ne plus être là pour elle. Ça a été une longue lutte entre ma mère et moi, entre moi et moi. »

Laurence demande finalement à être pensionnaire dans un collège. Après son départ, Renée se sent abandonnée. Elle se sent seule, tellement seule. Complètement inutile.

Georges et elle se séparent à nouveau. Renée s'installe dans un condo à Lac-Brome ; il garde la maison. Ils ne coupent pas les ponts pour autant. Ils voyagent ensemble à l'occasion. Ils se téléphonent souvent. Elle passe les fins de semaine à Knowlton avec lui. Et avec Laurence. Parfois, les plus grands s'amènent aussi, pour un repas en famille qu'égaye le dernier-né, monsieur Henri.

Ils forment un drôle de couple, Georges et elle, mais un couple quand même. Plus fort que toutes les tempêtes. C'est ce qu'elle se dit, ce qu'elle veut croire. Mais le cœur y est de moins en moins. Bientôt, il n'y sera plus du tout. Du côté de Georges, surtout.

En juillet 2006, son mari lui apprend qu'il veut rompre définitivement. Il a une autre amoureuse. Une femme plus jeune qu'elle, plus jeune que lui. *Trop jeune pour lui*, se dit Renée, *ça ne durera pas*. Mais ça dure depuis un moment déjà, et ça va durer.

Renée tombe des nues. Ils avaient pourtant convenu tous les deux qu'elle retournerait vivre à la maison dans quelques mois, non ? Elle avait promis de se reprendre en main. Elle était sur la bonne voie…

On lui avait prédit une rémission après cinq à sept ans : au bout de six ans et demi, à la fin de l'année 2005, sa maladie avait commencé à se résorber. Elle avait recommencé à fréquenter les réunions pour alcooliques. Et, de concert avec ses médecins, elle avait entrepris son sevrage de médicaments. Même le lithium, qu'on lui avait prescrit pour ses troubles bipolaires, elle était en voie de s'en débarrasser.

Le temps de retomber sur ses pieds, de se ressourcer, elle serait de retour avec Georges, dans leur nid, à Knowlton, d'ici la fin de l'été. Elle recommencerait une nouvelle vie avec son mari, son homme depuis vingt-trois ans. Elle s'accrochait à cette idée.

Georges ne peut pas lui faire ça, c'est impossible, inconcevable. C'est inadmissible, intolérable.

« Ma mère a pris l'arrivée d'une autre femme dans la vie de mon père comme une attaque personnelle, elle est devenue enragée », se souvient Laurence, qui avait dix-huit ans à l'époque et qui habitait au quotidien dans la grande maison de Knowlton.

Un soir, vers dix heures et demie, Laurence s'apprête à se mettre au lit, quand le téléphone sonne. C'est sa mère : « Je t'appelle juste pour te dire que je m'enlève la vie. »

Et, clic, elle raccroche.

Laurence s'interroge: «Est-ce que c'est sérieux? Est-ce seulement pour attirer l'attention, encore une fois? Est-ce pour avoir de l'aide? Ou est-ce vraiment ce qu'elle veut: en finir pour de bon? J'appelle l'ambulance ou quoi? Qu'est-ce que je fais?»

Impossible d'y voir clair. Laurence se sent totalement démunie. Alors elle appelle sa grand-mère, Noëlla, la femme forte de la famille, celle qui sait comment réagir dans toutes les situations, celle qui a toujours une solution à tout. Celle qui connaît le mieux sa fille, au fond.

«Appelle l'ambulance, vite», dit Noëlla à Laurence.

Le plus pathétique dans tout cela, aux yeux de Laurence, c'est qu'elle n'aura même pas eu besoin de préciser l'adresse de sa mère. «J'ai simplement dit: au condo de madame Martel… Ils savaient exactement où ça se trouvait.»

Chapitre trente-huit

Le miracle

Aucune note d'espoir dans son esprit, lorsqu'elle ouvre les yeux, à l'hôpital.

Pourtant, il lui en reste au moins une.

Elle a fait mentir le pronostic-couperet : elle a recommencé à chanter.

Petit à petit, elle a cessé de tousser, son asthme s'est calmé, elle s'est débarrassée des quatre pompes qui l'aidaient à respirer. Elle a pu répondre au téléphone quand la sonnerie se faisait entendre, elle en est venue à fredonner pour elle-même sous la douche.

Elle a poussé ses premières vraies notes un jour qu'elle était seule en auto. Elle s'est risquée à entonner le premier couplet d'une chanson country américaine des années 1960 qu'elle adore, *Heartbreak U.S.A.*, de Kitty Wells. Une chanson qui demande beaucoup de voix. Si elle pouvait chanter ça, elle pourrait chanter n'importe quoi, n'est-ce pas ? Ça lui a pris des mois. Des mois de tentatives, d'échecs répétés, pour aller au bout de chaque couplet de *Heartbreak U.S.A.*

Elle était loin d'imaginer, alors, qu'elle referait de la scène un jour.

Elle n'était même pas certaine de pouvoir enregistrer un nouvel album. Mais elle a tenté sa chance. Elle a téléphoné à son producteur de disques, André Di Cesare, celui-là même qui lui avait proposé, sept ans auparavant, d'enregistrer dans l'urgence l'album *À mon père*. Elle a rappelé son fidèle collaborateur, Marc Beaulieu. Et son autre complice, Jeff Smallwood.

Au début de l'année 2006, elle a passé trois jours en studio, avec ses deux musiciens. Le concept : un album *live* en studio qui revisite ses chansons phares en version acoustique. Et une caméra discrète, qui capte tout, incluant ses commentaires à chaud. Un CD-DVD intime, dépouillé, intitulé *Un amour qui ne veut pas mourir*, du nom de sa chanson fétiche.

Cette chanson, devenue le plus grand hit de sa carrière, elle l'a refaite autrement, avec un autre tempo, accompagnée par Marc Beaulieu au piano. Elle l'a interprétée beaucoup plus lentement, langoureusement, comme si elle redécouvrait le sens des paroles qu'elle avait traduites et adaptées dans les années 1970 pour Jean-Guy Chapados.

« J'étais seule quand je t'ai rencontré/Puis tu m'as tendu la main/Je t'ai suivi sur ton chemin /Je veux rire, je veux enfin vivre/L'amour qui n'veut pas mourir/Et c'est ma raison d'aimer la vie/Depuis le jour où tu m'as souri/J'ai un amour qui ne veut pas mourir. »

Au moment d'entrer en studio, elle avait encore des craintes, des doutes. Elle se sentait mieux, d'accord, mais serait-elle capable d'aller au bout d'un album, de donner le meilleur d'elle-même, le meilleur de sa voix, comme avant ?

Envolés en fumée, ses craintes, ses doutes, après les trois jours d'enregistrement. Le miracle avait eu lieu, la cowgirl dorée avait retrouvé ses ailes.

« *Un amour qui ne veut mourir*, piano-voix, se révèle une ballade à fleur de peau sur la douleur d'aimer », a écrit Sylvain

Cormier dans les pages du *Devoir*. Le critique musical a aussi indiqué que le « beau timbre grave » de la chanteuse était intact, que la réussite de l'album était « totale, bouleversante ».

On s'entend dans les médias pour saluer le retour sur disque de Renée Martel après sept ans. « Elle chante encore très bien » insiste-t-on, ajoutant que cet album acoustique « sonne très bien ».

Le lancement d'*Un amour qui ne veut pas mourir* était prévu pour le mois de mars. Mais il a eu lieu en avril.

Le soir du 23 février, peu après la fin de l'enregistrement de l'album, Renée a manqué une courbe difficile sur la chaussée glacée de la route 235, près de Saint-Pie, en Montérégie. La voiture a dérapé et heurté violemment un lampadaire.

Sur le coup, elle s'est évanouie. Quand elle s'est réveillée, elle a entendu un homme à l'extérieur lui crier qu'ils allaient la sortir de là, qu'ils étaient en train de scier le toit de son auto.

Elle a eu plusieurs os brisés du côté gauche, des côtes enfoncées, une oreille presque arrachée, une main fracturée. Elle a passé deux semaines à l'hôpital, six semaines dans un centre de réadaptation.

« L'accident d'auto ne m'a pas tuée, ni handicapée. J'ai l'impression que je dois à la vie de la vivre pleinement. Et pour moi, ça veut dire chanter. » C'est ce qu'elle a confié à Sylvain Cormier, lors du lancement d'*Un amour qui ne veut pas mourir*, en avril 2006.

Puis, quelques mois plus tard, s'adressant à un journaliste de la Presse Canadienne : « Je le sais, maintenant. J'ai besoin de travailler et d'être valorisée pour être heureuse. Et tout ce que je sais faire, à part élever des enfants, c'est chanter. »

À l'été, elle a participé au spectacle *Carte blanche à Isabelle Boulay* aux FrancoFolies, le temps d'interpréter en duo avec elle *Un amour qui ne veut pas mourir*. «La reine du country québécois a d'ailleurs eu droit à une ovation méritée», soulignait-on le lendemain dans les journaux.

Le mois suivant, en juillet, elle a entamé une série de trois spectacles rétro avec le chanteur Jacques Salvail, en tournée. Elle était en feu.

Recommencer à faire de la scène pour de bon, seule avec ses musiciens? Concocter un nouvel album de chansons originales, inédites? Elle n'y pense pas, pas encore, mais ça viendra.

L'amour aussi reviendra dans sa vie. Bientôt, très bientôt même.

Ça lui semble inimaginable, impensable, pour l'instant, dans sa jaquette d'hôpital, devant le mur beige délavé de sa chambre anonyme. Inimaginable, impensable qu'elle puisse mettre définitivement derrière elle sa relation amoureuse de longue date avec Georges, et encore plus, ouvrir les bras à un autre homme, de nouveau.

Sa vie professionnelle a beau s'annoncer prometteuse, sa vie intime : un désert, un tremblement de terre, une catastrophe nucléaire. Un attentat terroriste.

Elle s'est réveillée avec la sensation d'avoir le cœur qui saigne, comme si elle avait une balle de revolver plantée dans le cœur.

Une chienne rabrouée à coups de pied, jetée à la rue, pire, un rebut : c'est l'image qu'elle a d'elle-même. Cinquante-neuf ans, plus de mari, plus de maison. C'est tout ce qu'elle voit pour l'instant.

Elle n'aperçoit pas la lumière qui s'en vient au bout du tunnel, qui clignote, juste pour elle, qui l'appelle.

Le coup de foudre a lieu deux mois après sa rupture définitive avec Georges, deux mois après qu'elle s'est fait jeter par son mari épris d'une plus jeune.

Elle a d'abord croisé Bruno dans les réunions de soutien pour personnes aux prises avec une dépendance. Elle l'a revu ensuite chez une amie de Saint-Hyacinthe qu'ils avaient en commun, sans le savoir.

Ils ont passé des heures à se raconter leur vie. Des heures à échanger sur ses problèmes d'alcool à elle, ses problèmes de cocaïne à lui, leurs tentatives avortées à tous les deux dans le passé pour redevenir sobres, leur combat quotidien pour le rester.

Ils ont passé en revue leurs problèmes de couple respectifs : elle, séparée de Georges, mais encore persuadée à l'époque de l'imminence d'une réconciliation, d'une cohabitation possible ; lui, divorcé, père d'une grande adolescente, qu'il avait perdue de vue et avec qui il tentait de renouer.

Elle a découvert un homme blessé. Blessé comme elle. Un homme attachant, plus jeune qu'elle de treize ans.

Un an qu'ils sont amis, quand le vent tourne.

Un soir, au moment de se dire au revoir, le baiser qu'ils échangent n'a plus rien d'amical. C'est amoureux, passionné, fougueux.

Bruno a le cœur qui palpite, il le dit à Renée. Il lui confie qu'il n'a jamais été amoureux de sa vie. Il a peur, il recule.

Elle est désemparée. Sa plaie est si vive. Elle ressent tellement de colère, elle est cuirassée par la rancœur. Elle a peur, elle recule aussi.

Trop tard, le coup de foudre a eu lieu. C'est à la fois douloureux et grisant. Vertigineux.

Elle ne prend plus de cortisone ni d'antidépresseurs, elle n'ingère plus aucun médicament. Elle n'est plus bouffie, elle n'est plus la grosse femme qui se cache derrière des robes-tentes.

Elle est redevenue svelte, désirable. Elle est redevenue amoureuse. Et elle trouve Bruno beau comme un dieu. Bruno, son ange. L'ange qui lui a enlevé cette sensation d'avoir le cœur qui saigne : il a fait disparaître cette balle de revolver qu'elle avait dans le cœur.

Avec ce grand gaillard au cœur de petit garçon, elle peut être la petite fille qu'elle est restée. La petite Renée boulimique d'affection, en manque d'attention, qui a besoin d'approbation : celle qu'elle n'a jamais cessé d'être, au fond.

Ils emménagent ensemble dans un appartement, à Granby. La grande table en bois de la salle à manger déborde bientôt de papiers, de documents, de cahiers. Renée prépare son nouvel album, qu'elle compte promener en tournée, son premier album de chansons originales depuis *Authentique*, il y a une quinzaine d'années. Richard Desjardins, Luc De Larochellière, Catherine Durand... elle s'entoure d'auteurs-compositeurs inattendus.

Bourbon Gautier, devenu un ami, écrit pour elle *Ma nouvelle robe*. Renée est émue aux larmes en la découvrant : c'est tellement elle, cette chanson. « J'ai cru que la vie/M'avait laissée tomber/ Que de là où j'étais/On n'pouvait se relever/Mais demain matin/Sous le soleil chaud/Je volerai au monde/Ce qu'il y a de plus beau. »

Puis : « J'irai m'acheter/Une nouvelle robe/Dans une ville perdue/Où l'on ne me connaît pas/Je la choisirai seule/Pour la première fois/De couleur pastel/Elle n'attendra que moi/Ma nouvelle robe/Sera faite de soie/Et enroulée dedans/Comme dans un drapeau blanc/Je me laisserai porter/Par le souffle du vent. »

Elle travaille elle-même à l'écriture de quelques textes, où elle se met à nu. Elle aborde sa tentative de suicide après l'échec de son mariage. Et elle tente de venir à bout d'une autre chanson, qu'elle porte en elle depuis la mort de son père. Il y est question d'un vieux chêne. Elle a déjà trouvé le titre, tout simple : *Mon père*. Même si elle ne fait jamais directement allusion à lui dans la chanson. Trop douloureux.

Quand Bruno rentre du travail en fin de journée, elle teste auprès de lui ses trouvailles, ses découvertes. Ils passent la soirée à discuter du choix des chansons, de leur ordre de présentation sur l'album à venir.

Bruno est cadre dans une compagnie d'appareils électro-ménagers : il ne connaît rien au showbiz. Il a déjà gratté de la guitare, sans plus, il est loin d'être un spécialiste de la musique country. Il n'avait même jamais vu Renée Martel en spectacle avant de la rencontrer. Mais c'est lui qui, en grande partie, l'a poussée à reprendre sa carrière en main, pour de bon. Il l'a amenée à se doter d'un nouvel agent. Il a aussi contribué à trouver le titre de son nouvel album à mi-chemin entre passé et présent : *L'héritage*. Le grand retour sur disque de Renée Martel a lieu au printemps 2008, avec une nouvelle équipe, PGI et Musicor.

Au printemps précédent, elle s'est laissé convaincre de proposer un show d'essai, au Vieux Clocher de Magog. Avant même qu'elle se présente sur scène, des représentations supplémentaires ont été ajoutées.

Elle ne s'est pas étouffée, elle n'a pas toussé, elle n'a pas manqué de voix. Malgré ses appréhensions, elle a mené à terme ses chansons, son spectacle, devant une salle comble. Ses fans, heureux de la retrouver, l'ont longuement ovationnée. Elle n'en demandait pas tant, elle n'en revenait pas.

Puis, à la fin de l'année, elle a chanté à la salle André-Mathieu, à Laval : son premier spectacle en région montréalaise depuis neuf ans. Au moment de monter sur scène : les doutes, les craintes, à nouveau.

Elle s'est revue, seule et malade, dans la grande maison de Knowlton, toussant jour et nuit, étouffée par son asthme, aphone. Et complètement soûle, affalée sur le sofa. Qui était cette personne ?

À la fin du spectacle, elle a tapé dans les mains de ses complices musiciens : Yessss ! Et, elle n'a pas pu s'en empêcher : elle a poussé un grand cri de soulagement.

Chapitre quarante

À la salle André-Mathieu de Laval, ce soir-là, le 5 décembre 2007, anonyme dans la foule : Richard Desjardins, fan de longue date de Renée Martel.

Il ne la connaît pas personnellement, mais il l'admire depuis toujours. Il est amoureux d'elle, à distance. Amoureux de sa beauté. De sa voix.

La voix de Renée Martel, pour lui : « Une soie. Une soie un peu nasillarde. »

« Cette voix-là, unique, d'une justesse absolue, aurait fait bingo aux États-Unis », s'est-il toujours dit.

Dans les années 1970, à Rouyn-Noranda, quand il prenait son petit café et son spaghetti à trois heures du matin au resto du coin, il déposait des pièces de vingt-cinq cents à la chaîne dans le mini juke-box mural et faisait jouer du Renée Martel. Il ne s'en vantait pas trop : sa musique à lui, c'était plutôt le rock'n'roll made in USA, à l'époque. Mais il n'était pas le seul : ses chums, musiciens ou pas, partageaient, il le savait, « le même petit caprice complètement délicieux ».

La première fois qu'il l'a vue en spectacle, c'était en 1981, dans les Laurentides. Il logeait chez un ami, à une vingtaine de kilomètres du bar western où elle se produisait à Saint-Jérôme. Il n'avait pas d'auto, mais il avait une bicyclette.

Il pleuvait.

Au retour, après le spectacle, il pleuvait toujours. À grosses gouttes. « Mais j'avais le cœur léger, au sec, se souvient Richard Desjardins. J'étais content, j'avais vu un ostie de bon show. »

Il n'était pas allé la retrouver dans sa loge, il était beaucoup trop gêné, il ne se sentait pas à la hauteur. Il n'était pas connu, il planchait tout juste sur ses premiers albums. « Jamais je n'aurais pensé à l'époque que je collaborerais avec Renée Martel un jour. Pour moi, c'était un autre monde. »

Vingt-sept ans plus tard, à Laval, il ose. Enfin, presque. Il ne se présente pas dans la loge de la star, non. Après le spectacle de son idole blonde de jeunesse, il fait la file à la sortie de la salle de concert. Comme tout le monde. Il attend son autographe. Avec, dans les mains, un vieux long-jeu de la chanteuse.

« Bonjour, je m'appelle Léandre », lui dit-il quand arrive son tour.

Entre deux chansons, ce soir-là, comme elle le fera souvent par la suite, Renée a parlé de son amour de jeunesse. Léandre. Celui avec qui elle voulait se marier, avoir des enfants, vivre tranquille dans une petite maison dans le rang de Saint-Cyrille, près de Drummondville...

Elle lève la tête, reconnaît Richard Desjardins. Elle quitte sa chaise, contourne la table. Et elle le prend dans ses bras.

« C'était merveilleux », se pâme-t-il encore aujourd'hui.

À l'oreille, ensuite, il lui glisse : « J'ai une chanson pour toi, si ça te tente... »

Elle, surprise, ravie : « Appelle-moi. »

Trois jours plus tard, il s'installe au piano, il décroche le téléphone et chante pour elle *À un cœur de cristal*.

Elle pleure. «C'est trop beau», susurre-t-elle au téléphone.

Quand, en réunion de production à Granby avec sa récente équipe, elle annonce la nouvelle, l'incrédulité règne. Quelques semaines plus tard, les auteurs-compositeurs sélectionnés pour *L'héritage* viennent présenter leurs chansons en studio, à Montréal.

«À une heure et demie, Richard Desjardins va être là», a-t-elle dit à son équipe. À une heure et demie, il franchit la porte du studio, prêt à enregistrer *À un cœur de cristal* pour le démo.

Renée cherche ses mots, ça fait boum, boum à l'intérieur. Chanter avec Richard Desjardins, ce n'est pas chanter avec n'importe qui. C'est un authentique, un vrai. Il ne fait pas sa couleuvre. Pas de concession. Il reste lui-même dans la chanson. C'est ce qu'elle aime, ce qu'elle apprécie tant chez lui.

«Depuis, elle m'appelle son "amoureux mystérieux"», confie Richard Desjardins, touché, enchanté.

Gaspésie

~

On dirait qu'elle implore quelqu'un, dans sa loge improvisée, sous la bâche, à Gaspé. Qu'elle l'implore lui, Bruno, qu'elle le supplie. Celui qu'elle désigne comme son mari. Celui qu'elle appelle « mon ange ». Pour qu'il l'aide, la secoue. Ou qu'il vienne la chercher, peut-être.

L'infatigable Jean-Guy fait les cent pas dans le gravier de l'autre côté. Il a placé deux bouteilles d'eau et une grande serviette en coulisse, bien en vue, à portée de main sur un tabouret, pour sa diva.

Tout est prêt. Il fait le décompte.

Le temps presse.

Les musiciens ont quitté leur repaire, ils ont éteint leur cigarette. Ils se dirigent vers la tente géante à côté.

Il est vingt heures moins des poussières ce 17 juillet 2010, quand Renée Martel émerge de sa tanière, impeccable, maquillée, coiffée, vêtue de sa longue robe blanche.

On dirait une apparition.

Elle s'avance, elle tangue, elle a le regard voilé. Ses mains se joignent comme celles d'une première communiante. Moment de recueillement. Elle prend une grande inspiration.

Son cœur de cristal va-t-il tenir le coup ?

À son cou, le petit bijou dont elle ne se sépare plus. Une chaînette en or au bout de laquelle se balance un B brillant.

Juste avant de traverser le rideau frémissant, après avoir appliqué une dernière couche de rouge à lèvres et rajusté sa coiffure, elle a fait son petit rituel porte-bonheur : elle s'est aspergée de parfum. Un parfum pour homme. *Allure*. Le parfum de Bruno.

Elle a les jambes en chiffon, les genoux qui claquent, son cœur s'emballe. Comme chaque fois qu'elle s'apprête à monter sur scène.

Comme sa mère avant elle, traqueuse maladive.

Comme son père aussi, dans une moindre mesure. Son père qui, toute sa vie, a été habité par ce qu'il appelait « le trac fou du débutant ». Ce trac poursuivait Marcel Martel du matin au soir, la journée d'un spectacle, et il ne disparaissait qu'après la deuxième ou la troisième chanson, lorsque le contact avec le public était établi.

Depuis toujours, chez elle aussi, ce « trac fou du débutant » qui l'envahit lui fait le souffle court, lui fait entrevoir le pire.

Mais le pire, ce soir, est encore pire. Encore plus prégnant, obsédant, paralysant.

Le pire, ce soir, c'est Bruno, qui lui colle à la peau.

Le 16 septembre 2008, un mardi, tout se passe très vite. Bruno lui téléphone le matin, à onze heures vingt. Il raccroche à onze heures quarante. Et, à midi dix, on le retrouve mort, pendu à un arbre, dans un cimetière, à Granby.

Trente petites minutes, et c'est fini.

Quand Bruno appelle Renée, il est à l'hôpital de Granby. Depuis trois jours. Il est rentré là-bas d'urgence : tentative de suicide par overdose.

Ce jour-là, un dimanche, quand elle a appris la nouvelle, de la bouche de son beau-père, au téléphone, elle était au Festival western de Saint-Tite, pour la fin de semaine, en spectacle.

Elle amorçait sa tournée *L'héritage* ; son nouvel album, paru au printemps, avait suscité une pluie de critiques élogieuses.

Le père de Bruno lui a dit que « tout était sous contrôle ». Il lui a assuré, plein de bonne volonté, que ce n'était pas la peine de se rendre à l'hôpital pour aller voir Bruno : on lui avait donné des médicaments, il dormait. Et il allait dormir toute la journée du lendemain.

Mais Bruno n'a pas bien dormi, ce jour-là. Ni le lendemain. Il s'est réveillé plusieurs fois. Il a parlé d'elle aux infirmières qui veillaient sur lui. Il leur a confié qu'il avait toujours eu peur de la perdre. Et qu'il croyait l'avoir perdue, cette fois.

Pourquoi ?

Que s'était-il passé au juste ?

Bruno avait changé. Elle ne reconnaissait plus son ange. Il avait perdu son cœur de petit garçon. Il avait l'air d'un ange déchu, il était devenu son ange noir.

Il était en pleine rechute de cocaïne. Ce n'était pas la première fois.

Quatre mois auparavant, Bruno avait complètement perdu pied. Renée l'avait conduit dans un centre de désintoxication où elle-même avait fait plusieurs séjours dans le passé. Il y était resté trois semaines.

Là-bas, Bruno lui avait écrit une lettre d'amour. La plus belle lettre d'amour qu'elle n'avait jamais reçue de toute sa vie.

Cette lettre, elle l'avait encore avec elle, dans son sac à main, à Saint-Tite.

Elle la conserverait auprès d'elle en tout temps, après le suicide de Bruno. Jusqu'à quand ? Elle l'aurait encore à Gaspé, en juillet 2010, dans sa loge improvisée sous la bâche.

Bruno était découragé depuis qu'il avait été congédié de son poste de cadre en août 2007. Il se sentait humilié. Il avait fini par se dénicher un autre emploi, comme vendeur d'autos, mais il n'était pas heureux. Il ne voulait pas le montrer, il était orgueilleux.

Bruno était dépressif.

Il y avait eu d'autres employés congédiés en même temps que lui. L'un d'eux avait fini par se suicider.

Bruno en avait parlé avec Renée, de ce suicide. Ça l'avait bouleversé, décontenancé.

« Ne me fais jamais ça », l'avait-elle prévenu.

Quand Bruno lui téléphone de l'hôpital de Granby, le mardi 16 septembre 2008, à onze heures vingt, elle s'apprête à aller le voir. Il lui dit qu'il lui en veut, parce qu'elle ne s'est pas rendue à son chevet. Et que c'est trop tard : il a obtenu son congé du médecin.

Bruno lui dit qu'il n'en peut plus, qu'il veut mourir. Il lui dit qu'il s'en va se tuer. Il lui dit qu'il l'aime, qu'il s'en va se « clancher » pour la libérer, elle. Et qu'il ne se manquera pas.

Elle ne le croit pas.

Au téléphone, elle tente de le raisonner : « Voyons donc, me libérer de quoi ? »

Le mieux serait qu'il rentre à la maison, tout de suite. Ils vont trouver de l'aide, des solutions. Ça va aller mieux…

Il lui sera beaucoup plus utile là-haut, il veillera toujours sur elle, il l'aime plus que jamais : ce sont les dernières paroles que lui adresse Bruno, avant de raccrocher, à onze heures quarante, ce jour-là.

Puis, plus rien.

À seize heures, quand on lui apprend au téléphone que Bruno est mort, elle est comme un animal. Elle crie comme un animal, dans l'appartement, à Granby.

Elle est une louve en captivité, qui hurle. Elle veut qu'on lui dise que Bruno est encore en vie, qu'il ne s'est pas pendu.

Dans les jours qui suivent, elle est complètement sonnée, pétrifiée, K.-O. Au salon funéraire, elle peine à se tenir debout. Elle reste le plus souvent en retrait, au fond de la salle, entre le père et le frère de Bruno.

De temps en temps, elle remonte à petits pas jusqu'au cercueil.

Elle a peur de défaillir, de s'engouffrer dans un trou noir sans fond. Elle a peur d'elle-même, de la louve qui hurle en elle.

Qu'est-ce qu'ils ont tous à mourir, autour d'elle? À l'abandonner? Il y a eu son père. Presque dix ans, maintenant, qu'il a disparu. C'est comme si c'était hier. Il y a eu le père de son fils, il y a quelques mois à peine, son amour qui ne voulait pas mourir, Jean-Guy Chapados, qui lui avait dit, peu avant de mourir, qu'elle avait été la femme de sa vie et qu'il aurait aimé vieillir avec elle.

Un oiseau mort. Elle se sent comme un oiseau mort devant le cercueil de Bruno, au salon funéraire. Et encore, à l'enterrement de Bruno, au cimetière.

Qu'on la jette dans le trou avec lui, juste à côté de l'arbre où il s'est pendu. *Qu'on en finisse.*

Elle aura beaucoup de colère ensuite. Contre les grosses compagnies sans-cœur et leurs mises à pied massives. Contre le système de santé déficient, qui laisse passer dans les mailles du filet les suicidaires. Contre Bruno. Contre elle-même.

Elle s'en voudra tellement de ne pas avoir senti l'urgence dans la voix de Bruno ce jour-là. De ne pas avoir senti que c'était décidé dans sa tête à lui. *Pourquoi je ne l'ai pas cru?* Cette question reviendra la hanter, en boucle. Et, comme en écho: *Pourquoi il a fait ça, mais pourquoi?*

Le salaud.

Le soir de l'enterrement, en rentrant chez elle, ou peut-être le jour même du suicide de Bruno – comment savoir? –: rechute monumentale. Encore une.

Elle sera comme un zombie, ne répondant plus au téléphone ni à la porte, ne se lavant plus, ne mangeant plus, dormant sur le sofa, la télé allumée, en pyjama. Boire, pleurer, boire, pleurer. Elle ne fera que ça.

Sauf quand elle aura des engagements.

Son gérant voudra suspendre la tournée *L'héritage* pendant un mois ou deux, le temps qu'elle retrouve ses esprits, qu'elle se remette sur pied. Pas question. Elle sera sur scène le 18 septembre 2008, à Gatineau, deux jours après le suicide de Bruno.

Elle ne se souviendra plus de ce qu'elle a fait pendant ce show. Sauf ceci : elle monte sur scène, personne dans le public ne sait pour la mort de Bruno, elle dit qu'elle va chanter pour son amour, parce qu'il est décédé il y a deux jours et qu'elle va avoir besoin d'énergie. Le reste du spectacle se passera comme dans un rêve.

Elle voudra tenir le coup. Elle se convaincra qu'elle a besoin de travailler, d'être sur scène, de sentir son public : si elle reste chez elle, seule, elle va devenir folle. Elle voudra tellement. Trop.

Impossible de faire comme si de rien n'était. Malgré sa belle robe, son maquillage et sa coiffure impeccables, la femme derrière la star finira par craquer. Jusqu'à en perdre la raison, au sens propre comme au figuré.

Trois semaines après l'enterrement de Bruno : tombée du rideau.

Comment Bruno a-t-il pu penser qu'il allait la libérer en mourant ? Au contraire : c'est épouvantable, intolérable ce qu'elle vit.

Ce sera encore épouvantable, intolérable, demain. Toute ma vie, ce sera ainsi.

C'est ce qu'elle se dit, trois semaines après l'enterrement.

Elle est convaincue que le suicide de Bruno l'a jetée par terre pour le restant de ses jours. Et qu'elle va vivre avec ça pour le restant de ses jours. Comme un abcès permanent.

Elle n'a pas cessé de lui parler, de le voir partout. Elle a essayé de *geler* sa douleur dans l'alcool, mais c'est encore pire. Sa douleur ne diminue pas, elle augmente. C'est cent fois pire.

Elle est au bout du bout du rouleau.

Elle est totalement prise par sa douleur, elle vogue ailleurs, sur une autre planète.

Elle ne pense pas au geste qu'elle est en train de faire. Ce n'est pas un acte calculé. Tout ce qu'elle veut, ce soir, dans l'appartement de Granby encore plein de l'odeur de Bruno, de sa présence, c'est aller le rejoindre.

Elle ne songe pas à ses enfants, à la peine qu'elle leur causera. Plus personne ne pèse dans la balance, plus rien ne compte.

Elle veut juste arrêter de souffrir, cesser de vivre ce qu'elle vit. Elle veut juste mourir.

Elle est dans la détresse absolue, dans une sorte de folie qui balaie tout.

« Regarde bien ça, je vais me pendre. »

Elle lui parle à lui, ou elle se parle à elle-même ?

Elle veut passer par là, elle aussi, vivre ce qu'il a vécu dans les dernières minutes, les dernières secondes de sa vie. Sentir exactement ce que ça lui a fait, à lui.

Il est vingt-deux heures quarante-cinq, ce soir d'octobre 2008.

La suite des événements, Renée la raconte ainsi : « Ce sont les ambulanciers qui m'ont décrochée, *in extremis*. J'ai eu le temps de vivre ce que Bruno a vécu, ou presque. Je me suis sentie partir… Si les secours étaient arrivés cinq minutes plus tard, je serais dans le trou, à côté de lui. »

Chapitre quarante-trois

Les enfants

Ses enfants se sont sentis trahis, ils lui en veulent.

Elle le sait, elle s'en veut.

Laurence en a vu d'autres. Mais cette fois, elle a eu la frousse de sa vie. Dominique aussi.

Son fils, qui, habituellement – elle le connaît – « garde tout en dedans et n'a jamais dit gros comme le bout d'un doigt » à sa mère, a piqué une méchante colère contre elle.

Comment ça se fait qu'un homme qu'elle connaissait à peine, qui était dans sa vie depuis seulement deux ans, passe en premier, autrement dit, avant ses enfants ? Comment pouvait-elle aimer un homme qui venait d'entrer dans sa vie davantage que les enfants qu'elle avait mis au monde ?

Je le comprends, n'importe quel enfant aurait réagi de la même façon, se dira-t-elle, ensuite.

Mais elle a pensé, sur le coup, que son fils ne pouvait pas comprendre. Qu'aimer un homme n'empêchait pas une femme d'aimer ses enfants. *C'est complètement différent. Aussi fort, comme amour, mais complètement différent.*

Elle était une mère, oui, mais une femme aussi.

Sa vie de femme était totalement détruite, tout avait basculé en trente petites minutes.

Elle avait des projets avec cet homme : ils allaient vivre ensemble jusqu'à ce qu'ils soient très, très vieux…

Cet amour-là ne lui avait jamais enlevé l'amour qu'elle avait pour ses enfants. D'ailleurs, Bruno ne s'était jamais senti menacé parce qu'elle adorait ses enfants : il avait lui-même une enfant, qu'il tentait de reconquérir.

Dans sa colère, Dominique, qui venait, quelques mois auparavant, de perdre son père, Jean-Guy Chapados, autant dire sa main droite, est allé encore plus loin.

Comment pouvait-elle avoir plus de peine pour Bruno que pour son père à lui ?

Laurence, de son côté, ne parle plus à sa mère. Elle pense que, cette fois, sa mère a dépassé les bornes.

Laurence était contente, au début, que sa mère ait enfin rencontré un homme, après son père. Sa mère semblait heureuse. Bruno semblait l'aimer.

Elle ne se mêlait pas trop de leur relation, elle ne les fréquentait pas beaucoup. Elle était restée plus proche de son père. Celui qui avait été là pour elle quand elle avait eu besoin d'un parent responsable, fiable, celui qui avait été capable de prendre soin d'elle en tout temps, de la consoler quand il lui arrivait d'avoir de la peine.

Une pensée récurrente chicotait Laurence, quand même : sa mère et Bruno, deux dépendants, il y avait là quelque chose de malsain, quelque chose qui allait finir par s'enflammer à un moment donné…

Elle en parlait avec son frère. « Une dépendance à la cocaïne, c'est lourd, non ? » Ils se disaient tous les deux que ça allait exploser un jour, certain.

Laurence pensait ce que l'on pense dans ces cas-là : l'amour rend aveugle.

Elle avait constaté, de loin, que les choses s'envenimaient entre sa mère et Bruno, que c'était difficile pour les deux. Mais que pouvait-elle dire, que pouvait-elle faire au juste ? Sa mère n'aurait rien voulu entendre de toute façon, elle aimait vraiment beaucoup Bruno.

Laurence n'était pas d'accord avec le type d'homme que sa mère avait choisi, mais elle ne lui en avait rien dit. Ou si peu. Un mot glissé ici et là, en catimini. Elle comprenait à quel point être aimée, pour sa mère, était essentiel.

Dans les premiers jours, les premières semaines qui ont suivi le suicide de Bruno, Laurence ne s'était pas gênée pour dire à sa mère sa façon de penser. Elle lui avait dit qu'elle avait toujours cru que Bruno n'était pas un homme pour elle. Tout en essayant de lui remonter le moral. Mais la tâche s'était révélée insurmontable. Sa mère n'arrêtait pas de lui parler de Bruno, son ange.

Laurence s'est figée. Elle s'est murée dans le silence.

Sa colère, elle l'a gardée pour elle. Contrairement à son frère, pour une fois.

Le silence de Laurence durera six mois. Au moins. Et jamais plus elle ne voudra que sa mère lui parle de Bruno.

Dominique non plus d'ailleurs.

Chapitre quarante-quatre

L'évanouissement

Il lui a promis de veiller sur elle.

Le 22 novembre 2008, un peu plus de deux mois après le suicide de Bruno, un peu plus d'un mois après sa tentative de suicide à elle, Renée Martel s'apprête à monter sur la scène du Théâtre Maisonneuve de la Place des Arts.

« Elle ne tenait qu'à un fil avant de monter sur scène, se souvient Marc Beaulieu, qui assurait la direction artistique de la tournée *L'héritage*. Elle était traquée à outrance, ce soir-là. Je ne l'avais jamais vue nerveuse à ce point. Je savais qu'elle était faible. Elle n'avait rien mangé depuis deux ou trois jours, elle me l'avait dit. »

Tout ce qu'elle a dans le corps, c'est de l'alcool. Et les boissons énergisantes dont elle a abusé pour se donner du carburant.

Dès le moment où elle met le pied sur la scène, elle est prise d'un malaise. Première fois de sa vie qu'une telle chose lui arrive en spectacle. Elle sent qu'elle va s'évanouir. Mais elle pousse la machine. Elle chante, comme si de rien n'était.

Richard Desjardins, assis dans la salle, n'est pas dupe. Il sait, lui aussi, que Renée va mal. « Elle m'avait dit qu'elle ne mangeait plus, qu'elle ne faisait que boire. »

Il a tout vu. Il l'a vue, vacillante, sur la scène. Il doit venir chanter avec elle *À un cœur de cristal* dans la deuxième partie du spectacle, après l'entracte. Inquiet, il quitte son siège et se précipite en coulisse.

Richard Desjardins fait le guet, il ne la lâche pas des yeux, au cas où. Elle fait la première partie du spectacle de peine et de misère.

« Un moment donné, se rappelle Marc Beaulieu, nous étions au milieu d'une chanson, j'étais en train de jouer avec les musiciens, j'ai levé les yeux et j'ai vu que Renée n'était plus sur la scène. On a terminé la chanson sans elle. La première partie a été écourtée. »

Quand elle s'esquive en coulisse, Richard Desjardins l'attend, il la recueille. Il l'escorte ensuite jusqu'à sa loge en la semonçant.

— Renée, ça a pas de bon sens, tu peux pas continuer comme ça.

Elle tente de le rassurer.

— Je vais me reposer un peu et ça va aller mieux... Je vais être capable de continuer.

Richard Desjardins n'est pas rassuré du tout. C'est la première fois de sa vie qu'il « fait » la Place des Arts, pour lui « la place des autres ». Mais le prestige, il s'en fout. Et tant pis pour le show. L'être humain avant tout.

— Renée, rentre donc chez toi.

Elle ne l'écoute pas, elle n'écoute qu'elle. Elle ne part pas. Il y a son public, là, dans la salle, qui l'attend. Elle se repose un peu. Puis elle se sent d'attaque à nouveau. Et elle réussit à pousser la machine, encore une fois.

Elle commence la deuxième partie du spectacle. Il est prévu que son « amoureux mystérieux » la rejoigne sur scène après une chanson.

Dès cette première chanson, elle saute une ligne ou deux. Son chef d'orchestre s'en aperçoit, mais il n'en fait pas de cas, il enrobe le tout. Quand il voit Renée qui s'esquive à nouveau, il retient son souffle.

En coulisse : « Laisse faire ça, Renée, ça a pas de bon sens », lui souffle Richard Desjardins. Un mur, en face de lui. Un mur fissuré, sur le point de s'écrouler. « Non, non, non, je suis capable », insiste la cowgirl dorée.

Ils conviennent qu'elle chantera *À un cœur de cristal* assise sur un tabouret, et non pas debout.

« Tiens-moi, pour que je sorte avec toi après la chanson », lui glisse-t-elle pendant son dernier couplet à lui. Après la chanson, elle quitte la scène, chancelante, à son bras. Elle n'en peut plus.

« *Game over* », s'exclame Desjardins.

Mais il n'est pas au bout de ses peines.

Quelques années plus tard, encore fâché, il dira : « Il y avait son gérant, qui avait calculé combien de temps Renée avait fait sur scène et combien de temps il fallait qu'elle continue pour ne pas être obligé de rembourser le prix des billets. Il disait à Renée : "Faut que tu y retournes, faut que tu y retournes…" »

Elle, pendant ce temps, implore son ange en secret : *Aide-moi, Bruno, s'il te plaît, aide-moi, je t'en prie. Je ne peux pas partir. Je suis à la Place des Arts, mon public m'attend. Fais quelque chose !*

Richard plaide de son côté : « Renée, il faut que ça arrête là, tu vas te tuer. » Mais elle lui répond : « J'y retourne, il le faut. »

Richard revient sur la scène avec elle, il la suit pas à pas. Il l'installe sur le tabouret. Puis, s'adressant au public, il dit qu'elle a une méchante tête de cochon, que ça fait deux, trois fois, qu'il lui demande d'arrêter parce qu'elle n'est plus capable, et qu'elle ne l'écoute pas.

«Dites-lui d'aller se coucher!»

L'orchestre lance les premières notes d'*Un amour qui ne veut pas mourir*. Dans la salle, le public commence à chanter. *OK, je vais au moins leur faire celle-là, après on verra*, se dit Renée.

Au milieu de la chanson, elle est prise d'étourdissements sévères, lancinants. Elle tangue. Elle va tomber, elle le sent. Vite, elle se précipite vers la coulisse. Et elle s'effondre.

Dans l'auto, tandis que son agent la ramène chez elle sans dire un mot, sans lui adresser la moindre parole de réconfort, elle se sent comme un chien battu, sur le siège arrière. Le teint blême, le corps faible, l'âme en mille morceaux, elle se triture l'esprit. *Est-ce que mon public va me pardonner? Est-ce que mon agent va me pardonner? Est-ce que ma réputation est entachée à jamais?*

Plus tard, beaucoup plus tard, quand elle aura changé d'agent, fait un nouveau disque, entrepris une autre tournée, reçu le prix Lucille Dumont 2010 pour l'ensemble de sa carrière, le prix Miroir 2012 de la renommée au Festival d'été de Québec pour l'ensemble de sa carrière, le Félix 2012 du meilleur album country pour *Une femme libre* et le Félix hommage 2012 pour l'ensemble de sa carrière… plus tard, elle verra les choses autrement.

«Janis Joplin est tombée en pleine face sur la scène, est-ce qu'elle l'a fait exprès? Ce sont des choses qui peuvent arriver, qui arrivent. C'est humain. Juste humain.»

Au lendemain de son évanouissement à la Place des Arts, sa tournée est en suspens. Vivre dans les limbes avec Bruno, la bouteille à la main : elle ne fait que ça depuis, jour et nuit.

La petite fille boulimique d'affection, en manque d'attention, de reconnaissance, a perdu ses repères.

Elle est convaincue que l'âme de Bruno s'est installée dans la chambre, leur chambre. Elle recommence le même délire qu'avec son père, en pire. Elle voit Bruno partout, même quand elle met le pied dehors.

Elle évite systématiquement de passer devant le cimetière. C'est au-dessus de ses forces. Surtout, ne pas revoir cet arbre où Bruno s'est pendu, près duquel il est enterré. Cette idée obsédante, par-dessus tout : *Si les secours étaient arrivés cinq minutes plus tard, je serais dans le trou à côté de lui.*

Bruno vient de Granby. Il est né dans cette ville, il est mort dans cette ville. C'est sa ville à lui.

Quitter Granby, aller n'importe où, vite. Question de survie.

Elle ne sait pas où se réfugier, elle a des amis à Saint-Hyacinthe : en janvier 2009, elle y déménage. Mais, à Saint-Hyacinthe, Bruno est toujours là. Comment est-ce possible ?

Il a déménagé avec elle, il s'est installé dans la chambre. Dans leur lit. Quand elle pénètre dans cette pièce, elle sent toujours sa présence, son odeur, son parfum. Quand elle s'approche du lit, leur lit, c'est insoutenable.

Elle veut qu'il parte.

Elle veut qu'il reste.

Elle ne sait plus ce qu'elle veut.

Il lui faudra quand même quitter les limbes, de temps en temps, pour la scène. Sa soupape, la scène. Après deux mois d'interruption, elle se prépare à reprendre la tournée *L'héritage*.

Un jour qu'elle répète avec ses musiciens dans un studio à Montréal, elle boit quelques bières. Quatre, cinq, peut-être ? Mais, quand on pèse quatre-vingt-dix-huit livres et qu'on ne mange plus ou presque…

Elle retourne chez elle, dans son nouveau chez-soi, à Saint-Hyacinthe. C'est la fin de l'après-midi, vers dix-sept heures trente. En ce jour de janvier 2009, il fait déjà sombre.

Le pare-brise est sale, il n'y a plus de lave-glace. Elle a un tout petit espace devant les yeux pour y voir clair, à peine. Il lui reste moins d'un kilomètre avant d'atteindre sa sortie sur l'autoroute 20. Elle tente de se guider sur les lignes de chaque côté des voies. Elle slalome, en fait, sur la Transcanadienne.

Elle actionne son clignotant à droite, elle s'apprête à se diriger vers l'embranchement de la sortie pour Saint-Hyacinthe, quand elle entend une sirène. Quelqu'un l'a sans doute aperçue en train de zigzaguer, a pris peur et a appelé la police.

Permis suspendu, mille cinq cents dollars d'amende, deux ans de probation pour madame Renée Martel. Sentence exemplaire, se dit-elle.

Obligation, à date fixe, de montrer patte blanche, de fournir des preuves de sa réhabilitation, des preuves contresignées qui témoignent qu'elle a bel et bien assisté régulièrement aux meetings pour alcooliques. Obligation, à date fixe, de faire son mea-culpa, son autoanalyse, devant un agent dûment autorisé, une agente, en réalité, qui radote, pose toujours les mêmes sempiternelles questions.

« Alors, madame Martel, comment va votre relation avec vos enfants et avec votre mère ? Comment va votre consommation, madame Martel ? »

De toute façon, madame Martel ne peut pas conduire en état d'ébriété : elle a un appareil spécial dans son auto qui fait que, si elle a « consommé », le moteur ne démarre pas.

Deux ans de suivi.

Elle aura envie de mordre l'agente de probation bien avant d'arriver au bout de sa peine.

Heureusement, entre-temps, débarque Jean-Guy, qui deviendra son chauffeur officiel, son garde du corps, son directeur de tournée, son homme à tout faire, son chevalier servant. Et son sauveur.

Il répondra régulièrement à ses appels à l'aide, à ses courriels de détresse. La veille d'un spectacle, souvent. Le matin même, parfois.

« SOS, je suis en détresse ! »

Jean-Guy composera le 911 en catastrophe plus d'une fois.

Moins d'un mois après son arrestation sur l'autoroute, le 14 février 2009, jour prévu de son mariage officiel avec Bruno, elle se rend voir le prêtre qui devait diriger la cérémonie religieuse.

Elle a récupéré les alliances que Bruno avait mises de côté à la bijouterie au retour de la Gaspésie. Elle demande au prêtre de les bénir. Elle lui demande de l'unir *post mortem* à Bruno.

Il le fait, il bénit les alliances, il marie les amoureux.

La scène est surréaliste.

Elle est mariée avec un fantôme, mais mariée quand même, religieusement. Renée est croyante depuis toujours. Même si elle considère que le Bon Dieu ne cesse de lui « envoyer des coups de batte de baseball derrière la tête ».

Mariée et veuve.

Elle se sent prête, capable de reprendre la tournée. *Ça va aller...*

Mais ça ne va pas du tout. Elle s'évanouit sur scène à nouveau.

En mai, elle passe un mois en cure de désintoxication. Richard Desjardins lui écrit un mot. Son « amoureux mystérieux » pense à elle, il ne l'oublie pas.

Ils vont continuer de correspondre. Il jouera du piano pour elle au téléphone de temps à autre.

À l'automne 2010, ils vont se retrouver sur scène pour interpréter *À un cœur de cristal*, dans le cadre du mégaspectacle pour les cent ans du journal *Le Devoir*.

Quand il la verra arriver à la répétition, la veille du show, avec son grand manteau blanc et ses longues bottes rouges, sans même une once de maquillage, il ne pourra pas s'empêcher de s'exclamer : « Elle est belle, toute belle, toujours aussi belle ! » Les retrouvailles seront chaleureuses, touchantes. Et leur interprétation en duo d'*À un cœur de cristal*, le lendemain, sera touchante à l'extrême.

Mais, au sortir de sa cure de désintoxication, à la fin du mois de mai 2009, Renée est encore essoufflée, effarée. Son agent s'inquiète. Les reports de spectacles se multiplient.

L'incertitude plane autour d'elle, elle planera longtemps.

Le 16 septembre 2009, jour du premier anniversaire du suicide de Bruno, elle fait dire une messe pour lui. Au retour de l'église : crise aiguë. Des jours et des jours, imbibée de vodka.

Le 16 septembre 2010, jour du deuxième anniversaire du suicide de Bruno, elle fera dire une messe pour lui à nouveau. Mais, cette fois, elle aura prévu le coup.

Cela fera près de cinq mois qu'elle n'aura pas bu une goutte. Pas question de retomber : assez de recommencer.

Elle se rendra à l'église avec deux copines rencontrées aux réunions de soutien pour alcooliques. Dans le stationnement, elle croisera les parents de Bruno. Une fois la messe terminée, elle les retrouvera au restaurant pour le lunch. À son arrivée, sa belle-mère lui tendra les bras. Pendant le repas, son beau-père, pourtant fermé comme une huître depuis la mort de son fils, lui glissera à l'oreille : « On ne le reverra jamais, hein, notre bébé ? »

Le matin, elle aura prié ses deux copines de ne pas la lâcher d'une semelle. Dans l'après-midi, elles l'emmèneront dans une nouvelle boutique de vêtements à Saint-Hyacinthe. Renée en ressortira avec deux manteaux, dont l'un tout blanc... *Deux manteaux que Bruno ne verra pas.*

Le soir venu, ses deux copines l'accompagneront dans un hôtel de Saint-Pie. Meeting pour alcooliques.

« Je m'appelle Renée et je suis alcoolique... »

Pendant son témoignage devant les autres alcooliques, elle versera quelques larmes. Sans plus. Elle réussira à se contenir, comme elle l'aura fait pendant la messe pour Bruno en avant-midi.

Elle arrivera chez elle un peu avant minuit, fatiguée, brûlée. Et frissonnante, prise de tremblements. Il aura fait froid toute la journée, ciel gris, petit crachin.

Elle allumera la télé par habitude, pour rien, pour meubler sa solitude. Elle s'installera en boule sur le sofa du salon. Et elle éclatera en sanglots. Le torrent.

Chapitre quarante-six

La glissoire

L'impression d'être sur une glissoire.

Elle en a arraché pour se tenir debout, elle y est parvenue par moments, elle n'y arrive plus.

Le 18 janvier 2011 s'avère une journée particulièrement éprouvante. Bruno aurait eu cinquante ans ce jour-là. Elle lui avait promis un cadeau extraordinaire.

Elle fait dire une messe pour lui. Elle fait brûler des lampions pour lui. Elle ne sait plus quoi faire pour lui. L'homme qu'elle aime n'est plus là. Elle aurait tellement voulu lui offrir ce qu'il y a de plus beau au monde pour son cinquantième anniversaire.

Richard Desjardins l'appelle pour la réconforter. Noëlla aussi. Rien n'y fait. Elle perd la carte, elle délire. On a tué Bruno, il ne s'est pas pendu, on l'a pendu, c'est un meurtre, une histoire de vengeance, de dette de drogue. Mais, chut… elle n'a pas le droit d'en parler.

Au cours des mois suivants, elle recule au lieu d'avancer. C'est comme si c'était arrivé hier.

Elle a cette image d'elle prise dans un gouffre. Même en s'arrachant les ongles, elle ne réussira jamais à remonter à la surface.

Le 9 août 2011, c'est sa cheville qui se brise en morceaux.

Elle en a assez d'être seule et de ne rien voir à l'horizon. Elle a perdu espoir, confiance, absolument. Depuis deux mois, elle prend des cuites interminables. Elle ne mange plus depuis trois semaines. Elle implore Bruno d'intervenir, d'en haut, pour que ça cesse, cet enfer.

Fais quelque chose, arrête-moi, fais n'importe quoi. Je n'en peux plus.

Le 9 août 2011, c'est elle qui compose le 911.

On l'amène aux soins intensifs. Aux soins intensifs, pourquoi? Pour une simple cheville? On la branche à un respirateur. Que se passe-t-il? Elle veut rentrer chez elle.

L'infirmière qui la veille la ramène à la réalité: « Si on vous retourne chez vous, vous allez tomber dans le coma, vous ne respirerez plus, vous allez mourir. »

Son médecin, ensuite, enfonce le clou: « Votre corps vous a lâchée. Si vous ne vous étiez pas retrouvée à l'urgence, quelqu'un vous aurait peut-être trouvée morte d'ici trois semaines ou un mois. »

Ensuite, une idée fixe: Bruno l'a entendue là-haut, il l'a écoutée. Il l'a arrêtée, l'a sauvée. Bruno, son ange.

Elle se dit que, cette fois, elle est arrivée au bout. Au bout de la glissoire.

« Est-ce que je vais parvenir un jour à faire mon deuil? Est-ce que je vais arriver à m'en sortir un jour? Est-ce que je vais arriver à être bien dans ma peau, dans ma vie? »

C'est ce qu'elle demande à son psychiatre, le même qui l'a traitée dans les mois qui ont suivi la mort de Bruno.

La réponse du psychiatre : « Oui, vous allez vous en sortir. À la condition que vous ne preniez plus d'alcool… »

Au printemps 2012, alors qu'elle est installée dans une maison de repos, nouvelle épreuve : l'annonce des traitements de chimiothérapie, à entreprendre au plus tôt, pour combattre son cancer du foie. C'est la panique. Elle craint de perdre ses cheveux, se méfie des effets secondaires multiples. Elle a peur que ce soit inutile. L'angoisse infinie.

Puis, à l'été 2012, la dégringolade à nouveau.

Elle a quitté définitivement l'appartement maudit de Saint-Hyacinthe, trop chargé de débâcles, de crises, où elle a littéralement perdu pied. Elle s'est installée dans un petit logement sympathique, lumineux, à Saint-Lambert. Elle s'est débarrassée de leur lit, elle n'a sorti des boîtes qu'une seule photographie de Bruno, qu'elle a placée dans son nouveau bureau, à côté de celles de son père et de Jean-Guy Chapados.

Mais la solitude lui pèse à nouveau. La solitude : sa bête noire, sa plus grande ennemie, depuis toujours. La solitude, pire que jamais, tandis que les traitements de chimio, qu'elle refuse d'envisager, s'annoncent pour bientôt.

C'est la cuite continuelle. Dès neuf heures le matin, elle se rend au dépanneur en face de chez elle pour se procurer de la bière. Elle fait des chutes sur le plancher de la cuisine, sur le patio. Elle se casse le nez, se retrouve le visage ensanglanté. Elle lance des appels de détresse. Elle délire.

L'autodestruction se poursuit dans son petit logement plus du tout sympathique, aux rideaux tirés.

Sa mère, ses enfants, son nouvel agent, sa nouvelle équipe de tournée : tout le monde est sur un pied d'alerte.

La série noire, qui n'arrête pas.

Chaque jour, elle souhaite que ce soit le dernier.

The show must go on.

À la fin de l'année 2011, elle a terminé, avec le réalisateur Marc Pérusse et l'équipe de Musicor, l'enregistrement d'un nouvel album, *Une femme libre*. Richard Séguin, Daniel Lavoie, Paul Daraîche, Pierre Flynn, Nelson Minville, Lynda Lemay… des auteurs-compositeurs de tous horizons lui ont fourni des chansons inédites.

Renée Martel voulait un album qui sortirait des sentiers battus, elle voulait prouver et se prouver à elle-même qu'elle pouvait se mesurer à différents styles de musique. Elle voulait surprendre, se surprendre.

Ce nouvel album : un défi qu'elle se lançait, loin de sa zone de confort artistique. Elle en avait besoin, elle avait besoin d'un projet hors du commun qui la tienne à la surface de l'eau, qui la soutienne dans la noirceur de sa vie.

C'est elle-même qui a contacté l'ex-chanteur du groupe Octobre Pierre Flynn. Elle avait toujours aimé sa voix, son style de musique. Depuis le temps qu'elle rêvait de chanter avec lui. Mais elle avait peur de se faire rabrouer, étant donné le fossé entre leurs univers musicaux respectifs.

Ils s'étaient souvent croisés durant les seize années où elle avait habité à Knowlton : ses parents à lui avaient une maison dans le coin. Il leur arrivait d'aller prendre un café ensemble, sans plus. Ils s'étaient revus au spectacle des cent ans du *Devoir* à l'automne 2010, le temps d'échanger quelques mots pendant une prise de photos.

Quand est venu le temps de donner l'impulsion de départ à son album-défi, elle a tout de suite pensé à lui. Elle l'a appelé, elle a osé.

« Veux-tu m'aider à réaliser mon rêve ? J'aimerais tellement chanter en duo avec toi. Mais en rentrant dans ton univers à toi. Je voudrais que tu m'écrives une chanson comme si tu la créais pour toi. Je veux faire du Pierre Flynn. »

Elle a mis toute son émotion lors de l'enregistrement en studio du duo *Nous vivrons*, devenu sa chanson préférée de l'album. Mais le texte qui la touche le plus sur *Une femme libre*, celui qui la bouleverse à tel point qu'elle sait qu'elle ne parviendra jamais à l'interpréter sur scène, est signé Lynda Lemay.

« J'maquille ma souffrance/J'ai beau faire de mon mieux/ J'ai toujours ton absence/Plantée au fond des yeux. » Ce sont les premières paroles de *La porte de ta vie*. La chanson se termine ainsi : « J'ai tant besoin d'espoir/J'ai besoin de savoir/Que je n'ai rien à voir/Dans ton départ. »

C'est une commande spéciale que la cowgirl dorée a adressée à Lynda Lemay, après avoir tenté elle-même d'écrire une chanson sur Bruno. La commande était claire : « Je veux une chanson sur le suicide. Mais pas sur les suicidés : sur les proches, ceux qui restent. »

Parmi les dédicaces d'*Une femme libre* : « À mon ange, B, qui veille sur moi. »

Le disque est lancé au début de l'année 2012, pour marquer le soixantième anniversaire de la carrière de Renée Martel. Les ventes tardent un peu à décoller, mais, pour elle, le risque en aura valu la peine. « Je me suis libérée d'un tas d'interdits. Et ça m'a donné confiance. Je n'ai plus peur de chanter en dehors de ma zone de confort. Apportez-moi n'importe quoi mainte-nant, je suis capable de le chanter ! »

Malgré tout, Renée Martel sait bien au fond que c'est dans l'univers country qu'elle peut donner le meilleur d'elle-même comme chanteuse. « Je suis comme un cheval qui mange de l'avoine », reconnaît-elle. D'ailleurs, sur son prochain album, *La fille de son père*, c'est du western pur et dur qu'elle interprétera : celui de Marcel Martel.

À la fin de l'année 2011, quand elle vient à bout d'*Une femme libre* en studio, sa cheville est encore fragile. Souliers sport aux pieds, Renée se déplace difficilement, soutenue par un déambulateur.

En mars 2012, dans une ancienne chapelle de la région de Québec reconvertie en salle de spectacle, elle présente son dernier show de la tournée *L'héritage* en souliers plats, aidée d'une canne. Et, en juin suivant, elle offre son premier spectacle de la tournée *Une femme libre* en souliers à talons.

Entre-temps, elle participe au *Retour de nos idoles*, en compagnie de Ginette Reno, Michel Pagliaro et autres vedettes qui ont marqué les années 1960-1970 au Québec. La foule du Colisée de Québec, chaleureuse, animée, chante en chœur avec elle.

Où trouve-t-elle son énergie, alors que sa santé dépérit, que sa vie est menacée ? Elle se produit ensuite au Stampede de Calgary, avec Lisa LeBlanc, Gildor Roy et autres artistes franco-phones du country. Puis, c'est le Festival d'été de Québec, où elle a carte blanche. « Croiriez-vous ça ? Je célèbre mes soixante ans de vie artistique. Moi, je ne le crois pas », lance-t-elle à la foule. Entourée de Pierre Flynn, Paul Daraîche, Mara Tremblay et Annie Blanchard, elle fait vibrer le parc de la Francophonie, après avoir reçu dans la journée le prix Miroir de la renommée, pour souligner le caractère exceptionnel de sa carrière. Prix qui avait été remis l'année précédente au patriarche Gilles Vigneault.

Elle participe aussi à l'album des Trois Accords, *J'aime ta grand-mère*, qui sera lancé en octobre 2012. Le groupe l'a choisie pour interpréter en duo une chanson mettant en scène un couple que sépare une grande différence d'âge. « Avec son bagage, avec les épreuves qu'elle a traversées, dira Simon Proulx des Trois Accords, Renée Martel incarne une figure tragique. Elle ajoute de la profondeur à la toune. »

Après sa chanson *Viens changer ma vie*, utilisée par Xavier Dolan il y a quelques années dans son film *Les amours imaginaires*, le premier hit de Renée Martel, *Liverpool*, inspire un long métrage du même nom à Manon Briand. « La chanson se trouvait dans mon iPod, racontera la cinéaste québécoise au moment de la sortie du film, à l'été 2012. C'est devenu à la fois mon hymne et le plan de match du film. Cette chanson me rendait de bonne humeur, venait me chercher… »

Mais d'abord, avant *Une femme libre*, avant le Festival d'été de Québec et les honneurs de toutes sortes, incluant un timbre de Postes Canada émis à son effigie pour souligner son apport à la musique country du pays, bien avant la cheville cassée, le diagnostic de cancer, l'annonce des traitements de chimiothérapie et la terrible dégringolade dans l'alcool qui a suivi, il y a eu la Place des Arts à nouveau.

Ça ne pouvait pas rester comme ça. Il lui fallait exorciser le mauvais souvenir de son évanouissement, il lui fallait réparer les pots cassés. Elle devait reconquérir la Place des Arts, debout, la tête haute.

Tomberait, tomberait pas, cette fois ?

Deux mois qu'elle avait cessé de boire à ce moment-là, qu'elle tenait le coup. Première fois qu'elle revenait à la Place des Arts depuis son évanouissement, un an et sept mois auparavant, dans les bras de Richard Desjardins.

On lui avait offert une soirée carte blanche dans le cadre des FrancoFolies de Montréal. Catherine Durand, Mara Tremblay, Annie Blanchard et Mario Pelchat viendraient chanter avec elle, Jeff Smallwood s'amènerait avec la guitare mythique de Marcel Marcel.

Elle appréhendait le moment d'entrer en scène. Son chef d'orchestre et ses musiciens n'avaient pas l'air rassurés non plus.

En sortant de l'ascenseur, quand elle a aperçu le corridor qui mène aux loges, elle a eu un mouvement de recul. Allait-elle y arriver ?

Après la répétition de l'après-midi, Laurence est venue la rejoindre dans sa loge. Effusions de joie. Renée a promis à sa fille qu'elle allait interpréter pour elle sa chanson préférée, *Nos jeux d'enfants*, et qu'elle allait la lui dédier.

Laurence assisterait au spectacle de la coulisse, avec monsieur Henri. Dominique serait sur scène pour accompagner sa mère à la batterie. Toute la famille serait réunie pour l'événement. Toute la famille en renfort. Sauf Noëlla, quatre-vingt-trois ans, restée à Drummondville dans son foyer pour personnes âgées, qui attendait le téléphone de sa fille à la fin de la soirée pour savoir comment ça s'était passé.

Tandis que Renée faisait les dernières retouches à son maquillage, dans la même loge de la Place des Arts que la dernière fois, Laurence l'admirait dans le miroir.

« J'espère vieillir comme toi, Maman. Vieillir en beauté comme toi. »

De l'autre côté de la porte, Jean-Guy faisait le décompte.

« Dans une minute... »

Renée Martel n'est pas tombée. Renée Martel rayonnait. Renée Martel était en voix. Renée Martel a reçu une longue ovation, le 16 juin 2010, à la Place des Arts.

Un mois plus tard, rien n'était joué pourtant.

Un mois plus tard : direction Gaspé.

Gaspésie

~

Le pire, ce soir, ce 17 juillet 2010, à Gaspé, c'est le vide.

Le vide laissé par Bruno.

Le salaud.

Jean-Guy lui prend le bras en silence, il la guide, la conduit jusqu'en coulisse, talonné par monsieur Henri encombré de ses *Garfield* et armé d'une lampe de poche.

Jean-Guy la pousse sur scène, littéralement, il lui donne un élan. Y serait-elle arrivée sans ?

C'est parti. *Cowgirl dorée*, suivie de *Je reviens*. Le public n'y voit que du feu. Elle se nourrit des applaudissements. Avant d'attaquer de front.

« Aujourd'hui, c'est mon deuxième anniversaire de mariage. Je me suis mariée au pied du rocher Percé. Mais deux mois plus tard, mon mari est décédé. »

Elle dit tout, ou presque.

« Je pense beaucoup à lui ce soir. Je lui dédie le spectacle. J'ai le droit, hein ? »

Sa voix chevrote.

« Je suis une fille très émotive. »

Les larmes lui montent aux yeux. Personne ne bouge. Silence de mort. Puis : « Ça vous tente de passer une belle soirée ? Moi aussi. »

Les musiciens s'agitent derrière elle, ils lancent quelques notes. Elle s'abandonne, elle se donne. Elle se laisse porter. Par le rythme, par l'instant, par le public.

Elle est propulsée.

Elle entonne la chanson suivante, *Prends ma main dans ta main*.

Cette voix chaude, unique. Cette sensibilité exacerbée, ce sourire d'ange, irrésistible. Cette vulnérabilité qu'elle ne cherche pas à camoufler, qu'elle ne peut pas cacher, qu'elle incarne de la tête aux pieds. Cette authenticité.

Quelqu'un dans la salle crie : « On t'aime, Renée ! »

En coulisse, monsieur Henri a laissé tomber ses *Garfield* et sa lampe de poche pour admirer sa grand-mère et taper des mains. Jean-Guy suit le rythme lui aussi, il chantonne.

Jean-Guy n'est plus le chauffeur, le garde du corps, le directeur de tournée... il est un simple fan. Il est émerveillé. « Elle est née sur scène, c'est là qu'elle est la plus heureuse », glisse-t-il, ému.

C'est tellement évident qu'elle a ça dans la peau, qu'elle a le feu sacré. C'est ce qui la tient, la sauve. C'est son noyau dur. Son destin.

Elle est chez elle, enfin.

Cet échange d'amour avec le public : sa drogue dure.

Elle a en main tous ses moyens. Aucune trace d'égarement. Plus de vide, de fossé, plus de doutes.

La star, la femme : ensemble. Réconciliées.

Renée Martel, sur scène, transfigurée.

Chapitre quarante-neuf

La chambre 123

Même chambrette que la dernière fois.

Elle a vidé l'appartement de Saint-Lambert, placé ses meubles dans un entrepôt. Elle ne bougera pas d'ici, pas avant la fin de ses traitements de chimiothérapie.

Après, on verra.

Elle se sent bien, elle se sent en sécurité dans cette maison de repos.

Une infirmière veille sur elle, on lui apporte à heure fixe ses médicaments, ses repas. On la coiffe, au besoin. Ses cheveux : un désastre. Elle en a perdu tellement depuis le début de ses traitements. Quand elle paraît en public, il lui faut désormais enfiler une perruque.

Elle n'a jamais su rester seule, elle ne pourrait surtout pas rester seule dans cet état. Elle est faible, fiévreuse. Effets secondaires de la chimio. Elle a le visage, le corps enflés. Et il y a ces éruptions, partout, qui la démangent, jour et nuit.

En cette fin de matinée de décembre 2012, quatre mois après le début de ses traitements, elle est installée dans le fauteuil à côté de son petit lit, emmitouflée dans une grosse couverture.

Il fait chaud dans sa chambrette, mais elle grelotte. Docile, elle boit de l'eau glacée à grandes lampées, elle fait comme on lui a dit de faire.

Elle est entourée de photos.

Il y a celle, toute récente, de monsieur Henri, onze ans, qu'il lui a remise en lui faisant un gros câlin.

« Je t'aime, Grand-Maman. »

La photo, encadrée, est posée sur la petite table près de l'entrée.

À droite de la fenêtre, au mur, il y a les photos de Dominique et de Laurence, enfants tous les deux. Tout petits, tout mignons.

Il y a des photos de famille partout, dans sa chambrette.

La famille, son port d'attache. Envers et contre tout.

Mais il y a la carrière, aussi. Il y a la cowgirl dorée, qui n'a pas dit son dernier mot.

Du côté gauche de la fenêtre, au mur : deux photos d'elle, chic, gracieuse, perruquée. Des photos prises le soir du fameux gala de l'ADISQ, deux mois auparavant. L'une avant l'hommage, l'autre après. Rien n'y paraît, ou presque.

C'est après le gala que l'effet des traitements, entamés en août dernier, s'est fait vraiment virulent.

Tout s'est passé si vite, trop vite, dans sa tête, ce soir-là. Le soir du gala. Elle n'a pas su goûter ce moment unique dans sa vie. Elle s'est retrouvée en coulisse avec un trophée dans les mains, c'était fini. *Déjà* ?

Ses soixante années de carrière venaient de défiler en accéléré sous ses yeux. Il y avait eu les témoignages vibrants de Richard Desjardins et Patrick Norman. De la jeune Lisa LeBlanc aussi, révélation de l'année au gala. Et de Gildor Roy, qui avait fait rire tout le monde en confiant qu'il devait à la Renée Martel de ses neuf ans « un passage hormonal formidable ». Mara Tremblay, qu'elle considère comme une petite sœur, avait interprété *Prends ma main*. Susie Arioli, dont elle est une fan transie, avait fait swigner *Viens changer ma vie*. Quant aux Trois Accords, ils s'étaient approprié ses deux premiers succès : *Liverpool* et *Je vais à Londres*.

Le public au parterre, le public au balcon : des gens du milieu. Longue, longue ovation. C'était pour elle tout ça ? *Vraiment ?*

Quand on lui avait appris, quelque temps auparavant, qu'elle recevrait le prix hommage de l'ADISQ, elle avait eu cette pensée : *Ils savent que j'ai le cancer, ils pensent que je vais mourir... C'est pour ça qu'ils m'honorent.*

Au moment de se lever pour monter sur scène, elle avait songé : *Soixante ans de carrière, déjà !? Soixante ans que je fais ça... Et je suis toujours là. C'est la longévité qu'ils soulignent, peu importe qu'ils aiment mes chansons ou pas.*

Mais allait-elle seulement avoir la force de se rendre jusqu'à la scène ? Arriverait-elle à parler ?

Tous ces gens du milieu dans la salle, qui savaient pour la chimio, tous ces spectateurs devant leur télé, qui savaient aussi. La nouvelle était sortie dans les journaux quelques semaines auparavant : « Renée Martel doit se soumettre à des traitements de chimiothérapie préventifs, à la suite de problèmes de foie. » Il n'était pas question de cancer comme tel, mais tout le monde pouvait lire entre lignes.

Ne pas penser à ça. Foncer. C'est ce qu'elle se disait au moment de gravir les marches pour aller recevoir sa statuette. Leur dire qu'elle se battrait jusqu'au bout, voilà. Leur dire que rien de l'arrêterait. Leur montrer qu'elle était forte.

Richard Desjardins était venu l'embrasser avant même le début du gala. Patrick Norman aussi. À ses côtés, sa fille et son fils étaient tendus, ils semblaient attendre la fin de l'événement pour respirer. Pendant le discours de remerciement de leur mère, ensuite, leur mère à la fois forte et fragile sur la scène, il y avait dans leurs yeux humides toutes sortes d'émotions mêlées.

Le coup de grâce était venu pour Laurence et Dominique quand leur mère avait déclaré, la voix chevrotante, les mains tremblantes, qu'elle leur dédiait ce Félix marquant le couronnement de sa longue carrière : « Aux deux êtres les plus chers à mon cœur. Vous êtes ce que j'ai accompli de plus merveilleux dans ma vie. »

Elle leur rendait hommage publiquement à eux, alors que c'était elle qui était honorée ? Laurence et Dominique étaient sidérés, vaincus.

En fin de soirée, à la sortie du Théâtre Saint-Denis, après les nombreuses entrevues accordées aux médias, la star de soixante-cinq ans a aperçu au milieu de la cohue la petite fille qui venait de la personnifier sur scène, enfant, dans un numéro de danse à claquettes.

« Bravo, tu as bien fait ça. C'était parfait ! »

La grande a fait un câlin à la petite.

Une façon pour elle de réparer quelque chose face à son père ?

De retour dans sa chambrette, peu après minuit, elle a posé son Félix sur une tablette au pied de son petit lit. À côté de l'autre, le Félix du meilleur album country de l'année, reçu une semaine auparavant pour *Une femme libre*. Comme quoi tout ne se jouait pas au passé pour elle. Renée Martel était toujours dans le coup.

Avant d'éteindre la lumière, quand elle a contemplé ses deux statuettes, un immense sentiment de gratitude l'a envahie.

« Tant et aussi longtemps que je vais vivre, je veux faire ce métier-là », avait-elle dit sur scène, ce soir-là. Aucune allusion à son état de santé comme tel. Mais tout le monde avait compris qu'elle continuerait de se battre pour rester en vie.

Elle avait aussi eu ces mots de reconnaissance : « C'est mon père qui m'a enseigné comment faire mon métier. »

Noëlla devait être fière, ce soir-là, devant sa télé.

Juste en bas de ses photos de l'ADISQ, sur le mur : la liste de ses spectacles à venir. La tournée d'*Une femme libre* commencera dans quelques mois à peine. La chanteuse Annie Blanchard assumera la première partie du show, elle viendra aussi chanter sur scène avec Renée Martel après l'entracte. Plus question de faire des spectacles de plus de deux heures, seule en scène avec ses musiciens, pas tant que la chimio ne sera pas terminée, du moins.

En spectacle pour *Une femme libre*, un soir, elle laissera tomber, entre deux chansons : « Dominique Michel m'avait dit que la chimiothérapie, c'est un tue-monde. Ben je peux vous le confirmer, c'est vrai. »

Les traitements seront-ils suffisants ? Passera-t-elle au travers ? Survivra-t-elle à son cancer ? Elle ne peut s'empêcher de voir apparaître le spectre de la mort, dans sa chambrette, en cette fin de matinée de décembre 2012. Le spectre rôde autour d'elle. Mais elle s'empresse de le repousser.

S'accrocher au mot « espoir ».

Penser à ce qui s'en vient. À ce qu'elle prépare. Faire comme toujours. Comme son père avant elle.

Quand elle est sur scène, elle n'a pas terminé une chanson qu'elle pense à la prochaine. Même chose pour les albums. Elle en a déjà deux en tête. Dont celui consacré à Marcel Martel, *La fille de son père*, qu'elle souhaite plus joyeux, plus festif que celui qu'elle avait enregistré dans la douleur, tout de suite après sa mort.

Pour toi Renée : cette chanson qu'il avait composée spécialement pour elle toute petite ouvrira l'album, c'est sa voix à lui qu'on entendra avec la sienne sur cette pièce, c'est déjà décidé.

Elle a des projets pour les trois années à venir, au minimum.

Plus de place pour Bruno, on dirait. Elle en parle de moins en moins, elle y pense de moins en moins.

Aucune photo de Bruno dans sa chambrette.

Toutes les photos de lui, tous les documents le concernant, toutes ses affaires, elle les a mis de côté. Elle va peut-être jeter tout ça un jour. Elle n'est pas rendue là. Mais…

Mon deuil est fait. J'ai mis ça dans un tiroir.

C'est ce qu'elle se dit, en cette fin de matinée de décembre 2012, dans sa chambrette.

Le petit bijou dont elle ne se séparait plus, cette chaînette en or au bout de laquelle se balançait un B brillant, a disparu de son cou.

Que s'est-il passé ?

Tout a commencé quand elle a pris la décision, à la fin de l'été dernier, de retourner à la maison de repos. Pour entreprendre ses traitements.

Elle revenait des Îles-de-la-Madeleine, où elle était en spectacle pour deux soirs.

Voyage d'enfer.

Au départ de Montréal, elle était soûle, elle n'avait pas dégrisé depuis des jours. À son arrivée aux Îles-de-la-Madeleine: vomissements, étourdissements. Deux jours sans dormir.

Elle avait déployé une force surhumaine, elle avait vécu le pire du pire lors de ces deux spectacles.

Plus jamais ça.

C'est ce qu'elle s'était dit, dans l'avion, au retour. Et aussi: *Si j'ai fait deux shows dans cet état-là, je peux faire n'importe quel show avec de la chimio.*

Elle était au-delà de l'exténuation quand elle a mis le pied chez elle, à Saint-Lambert. Elle a décroché le téléphone en tremblant, elle a appelé la maison de repos.

— Je veux ma chambre.

— Ne vous inquiétez pas, madame Martel, votre chambre, la 123, vous attend.

Sa décision était prise. Point de non-retour.

« Renée est très forte quand elle veut, et elle est très fragile quand elle ne veut pas, a dit Noëlla, un jour, devant sa fille qui écoutait attentivement. Mais quand Renée décide que quelque chose va se faire, que quelque chose va arriver, elle regarde en avant. »

Deux routes. Renée voyait deux routes devant elle, au retour des Îles-de-la-Madeleine. La route sur laquelle elle se trouvait, qu'elle connaissait bien, qui la conduisait droit dans le mur. Pire, vers la mort certaine. Et il y avait l'autre, inconnue, qui ne semblait pas plus facile, mais qui peut-être l'amènerait vers la vie.

Bruno appartient au passé.

Toute sa vie, dans ses relations amoureuses, elle s'est accrochée au passé. Qu'est-ce que ça lui a donné ? Rien. Il n'y a rien, dans le passé. Que du vide.

Elle n'a plus la tête à Bruno, plus la tête au passé, dans sa chambrette.

Elle a la tête ailleurs.

Elle a recommencé à sourire, à rire.

Le phénix en elle a redéployé ses ailes.

Bruno a décidé de mourir.

Renée Martel a choisi de vivre.

Printemps 2014.

Un an qu'elle a quitté sa chambrette pour s'installer dans un appartement paisible, baigné de lumière, en bordure de la rivière Yamaska, à Saint-Hyacinthe.

« Au moment de quitter la maison de repos, j'étais complètement insécure, inquiète pour ma santé : est-ce que la chimio avait fonctionné ? Mes traitements s'étaient terminés un mois auparavant.

« Mais j'étais aussi pleine d'espoir, du côté de la vie. Pleine d'espoir, parce que j'avais survécu. Je n'étais plus dans le tourment.

« Quand je suis arrivée dans mon nouvel appartement, j'étais totalement en paix avec moi-même. J'étais heureuse, très heureuse. Et je le suis restée.

« J'adore l'endroit où je vis, au rez-de-chaussée d'une vieille maison pleine de boiseries, au bord de l'eau, avec un terrain immense, rempli d'arbres.

« Quand je suis rentrée ici, je me suis dit : ça va être chez moi. Je l'ai senti très fort. Cette maison arrive au bon moment dans ma vie.

« Par rapport à mon alcoolisme, j'ai l'impression que ça fait partie d'une autre vie. Ça ne fait tellement plus partie de moi.

« Je suis très, très au courant que je suis une alcoolique : j'ai fait mes preuves… Mais pour moi, dans ma tête, ça fait partie d'une autre Renée qui a existé à un moment donné.

« Je suis très vigilante. De par mon expérience, je sais que c'est possible de rechuter. Du fait d'avoir rechuté pendant treize ans et d'avoir eu tellement de misère à cesser de boire, il y a quelque chose en moi qui me dit : plus jamais ça. J'ai eu cette conviction dès que je suis entrée en traitements de chimio.

« Quand j'ai appris que j'avais le cancer, au contraire, j'ai pensé qu'en consommant beaucoup je mourrais plus vite. C'est comme ça que j'ai réagi.

« C'est après que je me suis dit : "Non, c'est assez, ça ne me tuera pas plus vite, ça va être encore plus lent, et plus souffrant." Alors j'ai décidé de commencer la chimio. Sans savoir ce que ça donnerait, sans savoir ce qui m'arriverait.

« J'avais une peur bleue de la chimio. Et j'avais raison d'avoir peur, parce que ça a été tellement dur. Mais le jour où j'ai pris cette décision, je me suis dit : je ne veux plus jamais qu'une goutte d'alcool me rentre dans le corps. Et ça a été fini. Je n'ai plus jamais eu envie d'alcool après ça.

« Je suis en rémission de mon cancer depuis le mois de novembre 2013. J'ai un suivi pour les prochaines années, mais je vais très bien. J'ai l'impression aujourd'hui d'atteindre un équilibre dans tous les aspects de ma vie, que ce soit du point de vue psychologique, psychique, physique…

« J'ai l'impression d'être redevenue moi, totalement.

« Il n'y a plus de personnages, plus de démons.

« Quand j'étais en chimio, mon médecin m'a dit que le moral que j'ai eu, la volonté de m'en sortir que j'ai eue ont compté pour un gros pourcentage dans ma guérison. Je n'ai jamais perdu courage.

« Des craintes pour sa santé, on en a tous. Moi, de par ce que j'ai vécu dans le passé, je vis au jour le jour, sans me soucier de ce qui va m'arriver demain matin. Je ne me fie plus à la semaine prochaine ou l'autre, ou l'autre.

« Ça ne m'empêche pas d'avoir des projets… J'ai un nouvel album qui s'en vient, et je me concentre sur mes projets artistiques, mes tournées à venir, mes prochains disques.

« Du temps des traitements, j'ai repassé ma vie dans ma tête très souvent. J'ai fait un grand ménage intérieur. J'en suis venue à éliminer beaucoup de choses. Et beaucoup de gens. Non pas parce qu'ils me nuisaient ou quoi que ce soit. Mais j'avais trop de monde dans ma vie. Mon énergie ne me permettait plus d'avoir vingt-deux connaissances qui m'appellent à tour de rôle.

« J'ai réduit ça à ma famille, à mes deux ou trois amis proches. Et à mon métier.

« Il reste des embûches, bien sûr. Ce n'est pas parce qu'on a passé au travers de la chimio et d'un cancer que tous les autres problèmes disparaissent. Mais, malgré tout, je conserve mon bien-être intérieur.

« J'ai laissé derrière moi tout ce qui me pesait. Mon deuil de Bruno est bel et bien terminé.

« Bruno, sa mort ont fait partie de ma vie, c'est une blessure, mais une blessure cicatrisée. Comme je le dis souvent, sans faux-fuyant, à des gens endeuillés qui viennent me voir pour chercher du réconfort après mes spectacles : "Ce sera là toute votre vie." Je vais vivre avec cet événement imprévu qui est arrivé dans ma vie. Personne ne s'attend à vivre ça. Je l'ai vécu, tant bien que mal, je suis passée au travers.

« Je continue de trouver ça dommage, parce que Bruno était quelqu'un d'intelligent. Sa vie a été si courte, c'est triste.

« Mais moi, je continue la mienne.

« Je ne crois plus vraiment en l'amour. En fait, ce n'est pas tellement que je n'y crois pas, c'est que je ne suis plus capable de donner de l'énergie, que ce soit dans la passion ou dans la déception amoureuse, dans la rupture. Je ne me sens plus la force de passer à travers la perte d'un homme que j'aime, par décès ou autrement. Je vis trop mal ces choses-là.

« Je n'ai jamais eu une histoire d'amour ordinaire. J'ai vécu des ruptures pour des raisons épouvantables, que ce soit le suicide ou parce que mon mari a senti le besoin d'être avec quelqu'un de plus jeune. Chaque fois, je me suis sentie impuissante. Je ne veux plus courir le risque de vivre quelque chose d'aussi terrible.

« Il faut dire que, depuis six ans, l'occasion de tomber amoureuse ne s'est pas présentée. Parce que je suis bloquée ? En fait, je ne cherche pas ça du tout. Je ne voudrais surtout pas que quelque chose en ce moment vienne bouleverser ma tranquillité d'esprit, ma tranquillité de l'âme. Je ne veux plus que quelqu'un vienne brasser tout ça. Et si un jour arrive quelqu'un, j'accepterais beaucoup plus un compagnon de vie qu'une passion, un amour. Chacun sa maison, on fait des voyages ensemble…

« Je crois surtout beaucoup en mes amis, que j'aime profondément. Et en ma famille. Je suis grand-mère pour la deuxième fois, depuis un an, grâce à mon fils. Et je le serai à nouveau bientôt. J'adore être grand-mère. Pour moi, ça part d'une bonne décision qu'on a prise, un jour, Jean-Guy Chapados et moi, d'être ensemble. C'est la continuité de notre amour.

« Jean-Guy a été très important dans ma vie, et il l'est encore de par mon fils et ses enfants. Je regarde mes petits-enfants et je sais qu'il y a une goutte de notre sang à tous les deux dans ces êtres-là. Je suis assurée d'une descendance qui va survivre après ma mort.

« Les racines, la transmission, c'est très important pour moi. C'est dans cet esprit que j'ai fait un nouvel album consacré à mon père. Ça fait quinze ans cette année qu'il est décédé.

Je sais que je ne ferai jamais mon deuil par rapport à mon père, ne serait-ce qu'à cause de la carrière qu'il a eue, et de celle que j'ai, qui est tout le temps liée à la sienne. Je ne peux pas faire un détachement complet. Mais je ne suis plus dans un deuil pathétique et lourd.

« Quand j'ai fait un premier album avec les chansons de mon père en 1999, j'étais en état de choc : il venait de mourir. Je n'étais même pas consciente que j'étais en train de faire un disque. Le public l'a bien accueilli. On en a vendu soixante-dix-huit mille, on a eu un Félix... Mais il y avait trop d'émotion autour de cet album pour moi.

« Je trouve important de souligner le quinzième anniversaire de la mort de mon père avec un nouveau disque. Je ne veux pas que les gens l'oublient.

« Mon idée avec *La fille de son père*, c'est de faire passer sa musique et ses chansons de génération en génération. D'où la participation sur l'album du jeune chanteur Maxime Landry, par exemple. Il connaît le répertoire de mon père par cœur. Quand il était enfant, sa grand-mère lui chantait souvent *Hello Central*. Il a appris à jouer de la guitare sur cette pièce, qu'il interprète sur l'album.

« Quand je vais faire des spectacles un peu partout, les gens me parlent très souvent de mon père, en disant : "J'ai tous les disques de Marcel Martel, je connais ses chansons..." Mais quand je vois l'âge de ces gens, je me dis que dans une vingtaine d'années ils ne seront plus là. Est-ce que la musique et les chansons de mon père vont mourir avec eux ? C'est ce que je veux éviter.

« Je me sens une responsabilité par rapport à la mémoire de mon père. C'est comme s'il me disait : "Je t'ai donné ces chansons, cette musique, fais-en quelque chose. Quelque chose de bien."

« Mais ça va plus loin. Je me sens aussi responsable de la continuité des autres pionniers du western au Québec : Willie Lamothe, Paul Brunelle, Bobby Hachey... tous ces chanteurs que j'ai connus enfant.

« Je suis une des rares qui vient directement de l'arbre, une des seuls qui restent. Je sens tous ces pionniers sur mes épaules, comme s'ils étaient tout en haut et qu'ils me disaient : "Envoye, la p'tite, fais-nous honneur..." Interpréter leurs chansons en spectacle, c'est ma façon à moi de les garder vivants. C'est la fille à Marcel qui continue la lignée.

« La musique country n'est pas seulement une musique, c'est une philosophie de vie, une façon de vivre, de penser. C'est-à-dire : on vit pour la terre, pour l'eau, pour les montagnes, pour nos enfants... pour tout ce qui est nos racines. Les valeurs qui dominent sont l'intégrité et l'authenticité. Ce sont les valeurs que mon père m'a transmises à travers sa musique.

« J'ai grandi avec les chansons de mon père. Je les connais toutes. Ça fait partie de ma vie depuis toujours. C'EST ma vie. Et c'est mon héritage. C'est l'héritage que j'ai eu, que je transmets à la génération de mes enfants, de mes petits-enfants. Quand je vais mourir, ils vont hériter des chansons de mon père... et des miennes aussi.

« Le fait d'avoir eu un cancer m'a amenée à réfléchir sur mon rapport avec la mort. J'ai compris, et c'était très fort en moi, que je n'étais pas prête à mourir. Pas du tout. J'avais une telle volonté de vivre tout à coup. Je me disais : non, ce n'est pas le moment, j'ai trop de choses à faire, trop de monde que j'aime autour de moi. Il n'en était aucunement question.

« Ce n'est pas que j'aie peur de la mort. Peur de quoi ? Une fois que c'est arrivé, on ne peut plus avoir peur.

« De quoi on a peur ? De souffrir, de perdre les gens qu'on aime.

« Mais avoir peur de quoi, une fois morte ? »

Renée Martel n'a plus peur de vivre.

Remerciements

de l'auteure

Merci, Renée, de m'avoir ouvert la porte de ton intimité et de m'avoir permis de t'accompagner pendant ces quatre années.

Merci à tous ceux et celles qui ont accepté de témoigner.

Merci à mes éditeurs, Jacques Fortin, Caroline Fortin, Martine Podesto et Pierre Cayouette, pour leur regard éclairé et leurs bouffées d'énergie. Merci à Marie-Noëlle Gagnon, qui a pris le relais en force.

Merci à Anne-Marie qui, la première, a cru à ce projet. Et à André, pour son œil expert. Merci à mes amis, Louise, Ginette, Jocelyn et Carole-Line, qui ont pris le temps de m'écouter.

Merci à ma sœur Laurette, pour le condo, le mercurey et les interminables remises en question qui m'ont fait avancer.

Merci à ma sœur Dominique, pour les coups de fil encourageants.

Merci à mes enfants, Camille et Maxime, qui ont vécu les montagnes russes avec moi.

Merci à mes parents, pour les racines.

Merci à Sylvain, pour tout.

L'auteure remercie aussi le Conseil des arts du Canada pour son soutien financier.

Discographie

de Renée Martel

- *Renée Martel*, 1968
- *Renée Martel*, 1969
- *Renée Martel*, 1970
- *Renée Martel*, 1970 (compilation)
- *Mon roman d'amour*, 1971
- *Renée Martel*, 1972
- *Un amour qui ne veut pas mourir*, 1972
- *Réflexions*, 1974
- *Noël c'est l'amour*, 1977
- *J'ai besoin de ton amour*, 1978
- *Souvenirs de vacances*, 1978
- *Renée Martel chante Connie Francis et Brenda Lee*, 1980
- *Un coin du ciel*, 1981
- *C'est mon histoire*, 1983 (Félix 1983/Microsillon de l'année – Country)
- *Cadeau*, 1984 (Félix 1985/Microsillon de l'année – Country)
- *Authentique*, 1992
- *Au nom de l'amour*, 1993
- *Les grandes chansons*, 1993
- *Chantons Noël !*, 1995
- *Country*, 1998

~ *Patrick et Renée country*, 1998

~ *À mon père*, 1999

~ *Liverpool*, 1999

~ *Cowgirl dorée*, 1999

~ *Premier amour*, 1999

~ *Une vie en chanson*, 2002

~ *Un amour qui ne veut pas mourir*, 2006

~ *L'héritage*, 2008 (Félix 2009/Album de l'année – Country)

~ *Duos de la tendresse*, 2008 (*Soirs de scotch* avec Dan Bigras ; disque de Dan Bigras)

~ *Elvis Presley, Christmas Duets*, 2008 (*A Snowy Christmas Night*)

~ *Ensemble pour Haïti*, 2010 (*I Want To Know What Love Is* avec Annie Blanchard et Wilfred LeBouthillier ; autres titres par divers interprètes)

~ *Retrouvailles 2*, 2011 (*Ah ! Que l'hiver* avec Gilles Vigneault ; disque de Gilles Vigneault et invités)

~ *Une femme libre*, 2012 (Félix 2012/Album de l'année – Country)

~ *J'aime ta grand-mère*, 2012 (*Sur le bord du lac* avec Les Trois Accords ; disque du groupe Les Trois Accords)

~ *Chapeau Willie !*, 2013 (*Mille après mille* avec Maxime Landry ; *Mille après mille* avec plusieurs interprètes ; autres titres par divers interprètes)

~ *Album de famille*, 2013 (*Un coin du ciel* avec Noëlla Thérien et Laurence Lebel)

~ *Hommage à Georges Hamel*, 2014 (*Nos amours déchirées* avec Georges Hamel)

~ *La fille de son père*, 2014

~ *Certifié Country, d'hier à aujourd'hui*, 2014 (divers interprètes)

~ *Les années bonheur*, 2014 (compilation avec Chantal Pary et Michel Louvain)

Table des matières

Cahier photo

Noëlla Therrien dans les années 1950.

Marcel Martel en 1965.

Renée dans les bras de son père.

Renée à trois ans.

Les Sawyer, sa deuxième famille.

Marcel et Renée Martel.

Archives personnelles de Renée Martel

Archives personnelles de Renée Martel

Renée et ses parents devant
l'orphelinat.

Lors d'une tournée américaine,
à 14 ans.

Archives personnelles de Renée Martel

En Californie avec son cousin Pierre.

Renée et ses copines, dont sa grande amie Claudette Gaboury au micro.

Avec son père en 1961.

En 1964, lorsque Renée et sa famille
reviennent des États-Unis.

Lors de la tournée MusicOrama, en 1968.

Renée dans sa chambre, à 17 ans.

Avec sa première voiture, une Firebird 1968.

La pochette de l'album *Liverpool*, paru en 1967.

Renée est élue Révélation féminine au Gala des artistes, en 1968.

Sur un plateau de télévision de Radio-Canada.

Avec Jean Malo, en 1970.

Avec Jean-Guy Chapados à Paris, en 1973, alors qu'elle est enceinte.

La naissance de Dominique, en 1974, s'avère pour Renée une extraordinaire raison de vivre.

Avec sa grande amie Michèle Richard.   Avec Robert Charlebois en 1981.

Tournée de *La Grande Rétro*, en 1981, avec Johnny Farago,
René Simard et plusieurs autres.

Lors de l'émission de radio *Balconville*, en 1981.

Le spectacle *C'est mon histoire*, en compagnie de ses parents, en 1983.

Lancement de l'ouvrage autobiographique *Renaissance*, en 1983.

Avec Patrick Norman dans les années 1980.

Remontant l'allée au bras de son fils
Dominique.

Le 15 août 1987, Renée épouse
Georges Lebel.

Avec Dominique, Georges et les enfants de celui-ci, Mathieu et Catherine.

Archives personnelles de Renée Martel

En 1988, la famille s'installe au Maroc, où Renée vivra des moments parmi les plus lumineux de sa vie.

Archives personnelles de Renée Martel

Avec Georges lors d'un voyage à Rabat.

Archives personnelles de Renée Martel

Renée aidera Naïma, la nounou marocaine de Laurence, à immigrer au Québec.

Avec ses deux enfants.

Avec Laurence dans la villa de Casablanca, en 1989.

Photo de famille en 1991.

Avec Bobby Hachey lors d'un spectacle au Capitol en 1992.

Lancement de l'album *Authentique*, en compagnie de sa mère et de son fils, en 1992.

L'album est produit par la maison de disques de Guy Cloutier.

Avec Bruno, en 2008.

Jeff Smallwood avec la guitare mythique de Marcel Martel.

Au gala de l'ADISQ 2009, où elle remporte le Félix du meilleur album country et celui du meilleur spectacle pour *L'héritage*.

Avec Catherine Durand, Mara Tremblay et Jacques Roy, son directeur musical, lors de la soirée *Carte blanche à Renée Martel*, dans le cadre des FrancoFolies, en juin 2010.

Photo : © Jacques Nadeau

Avec Richard Desjardins, son « amoureux mystérieux », dans le cadre du spectacle *Le Devoir : 100 ans de chansons*, en novembre 2010.

Archives de Échos Vedettes – Tous droits réservés

Archives personnelles de Renée Martel

Au gala de l'ADISQ 2012, où elle remporte le Félix hommage pour l'ensemble de sa carrière.

Avec sa fille, Laurence, en 2013.